바이어를 미소짓게 한

최부장의 영어유머

바이어를 미소 짓게 한 최부장의 영어유머

발 행 | 2023 년 12 월 14 일

저 자 | 이병세

펴낸이 | 한건희

펴낸곳 | 주식회사 부크크

출판사등록 | 2014.07.15(제 2014-16 호)

주 소 | 서울특별시 금천구 가산디지털 1 로 119 SK 트윈타워 A 동 305 호

전 화 | 1670-8316

이메일 | info@bookk.co.kr

ISBN | 979-11-410-5989-7

www.bookk.co.kr

바이어를 미소짓게 한
최부장의 영어유머

CONTENT

3. 소통의 가위바위보

- "We don't have to show much concern on a minor mistake"

4. 가위바위보의 달인이 되는 방법

머리말

인생은 타이밍입니다. 적절한 때, 적절한 장소에서, 적절히 행동해야 인생이 풀립니다. 그런데 이 타이밍이라는 것이 말처럼 쉽지는 않습니다. '적절한'이라는 특징 때문입니다. 명확한 기준이 없어서 귀에 걸면 귀걸이고 코에 걸면 코걸이입니다. 상황에 따라 다르고, 입장에 따라 다르고, 시기에 따라 다릅니다.

저는 31살 베트남에 상장한 3대 금융/보험사 매니져로 스카우트제의를 받았습니다. 남들은 말합니다. 젊은 나이에, 좋은 기업, 좋은 직책의 커리어를 쌓았다고 말입니다. 그런데 제가 봤을 때는 아닙니다. 적절한 나이가 아니었고 적절한 직급도 아니었습니디. 제가 상내해야 하는 고객들은 지점장, 법인장, 대표님들이었고 함께 일하는 동료들은 부장, 부사장, 부회장님이었습니다. 사내에서 그리고 사외에서, 업무를 할 때 엄청난 압박감을 받았습니다. 겨우 31살 된 풋내기가 해외에 상장한 메이저 기업의 매니져가 된다면 당연히 겪는 일입니다.

여기서 질문이 들 것입니다. 아니 도대체 그 나이에 그런 직급을 어떻게 감당한 것이냐? 저도 신기합니다. 29살까지 해외생활 한 번도 해본 적이 없는 평범한 한국인이 어떻게 이런 곳에서 살아남았는지 말입니다.

저는 그 답을 '유머'에서 찾았습니다. 제가 유머를 발휘해야 하는 대상은 3곳이었습니다. 가장 먼저는 회사 내부의 동료들, 두 번째로는 고객, 그리고 마지막으로 저 자신입니다.

회사 내부의 동료는 영어로 소통만 가능해도 충분했습니다. 그런데 고객들과 만나는 자리는 진검승부입니다. 클로징을 하지 못하면 내가 죽는 치열한 전쟁터, 무기 하나라도 더 챙겨야 했습니다. 한 번이라도 더 고객들에게 미소를 지어줄 수 있기를 바랐습니다. 그래서 영어유머들을 구상하고 기획하고 준비했습니다.

그런데 이 이유보다 더 중요한 것이 있습니다. 바로 저 자신입니다. 비즈니스 최전선에서 경제활동을 하고 계신 모든 비즈니스맨들은 다들 느끼실 것입니다. 세상에서 가장 큰 압박을 버티고, 남들을 웃게 만들어야 하는데 나는 울고 있으며, 겉으로는 밝지만 속으로는 썩어가는 비즈니스맨들. 우리들에게 유머가 필요하다고 말입니다.

그 당시를 돌아보면 이런 생각이 듭니다. 남들에게 하는 유머보다 나에게 하는 유머가 더 필요했다. 남의 웃음보다 나의 웃음이 먼저였다. 남에게 받아내는 것이 아니라 내가 남에게 주어야 했다. 내가 웃어야 남을 웃게 만들 수 있다. 이렇게 말입니다.

남들에게는 상냥했지만 나에게는 가혹했던 가시들. 내가 급해서 쏟아낸 자책과 후회들. 되돌릴 수 없다는 것 알면서도 신경쓰입니다. 그것들이 아픈 이유는 그때 제가 제 스스로를 벼랑끝까지 몰아부쳐서인 것 같습니다.

이 책은 그때의 저에게 바치는 유머공략집입니다. 다만 몇 가지 상황을 뒤틀었습니다. 31 살의 이병세가 아니라, 47 살의 최부장님께 드립니다. 어떤 상황에서 어떤 말을 던지고 이후에 유머를 이어가는지 탄탄하게 준비했습니다. 영어유머를 구사하기 전에 던지는 말. 그 유머를 구사하기 위해 준비한 영어. 마지막으로 유머를 구사한 후에 던지는 영어까지. 전/중/후로 준비했습니다.

이 서문의 마지막은 이렇게 맺고 싶습니다. 나 홀로 숨죽여 가시를 품었던 최부장님, 힘들진 않으셨나요? 제가 그 문제들을 근본적으로 해결해드릴 수는 없습니다. 하지만 조금은 웃게 만들어 드리겠습니다. 이 책을 읽는 모든 비즈니스맨들에게 유머를 드리겠습니다.

장.

최부장님이
영어유머를 못하는 이유
대참사

" 유머는 개그가 아닙니다 1 "

최부장: 아니 도대체 요즘 것들은 이렇게 싸가지가 없어. 뭔 말을 하면 알아들어야 이야기가 통할 것 아냐?

최부장님 왜 또 그러세요? 무슨 일 있으세요?

최부장: 지난 달 들어왔던 신입 있잖아

어? 되게 밝았던 그 친구요?

최부장: 어 그 친구. 회사생활 잘 적응하라고 말을 걸었는데… 반응이 없어 반응이. 박수도 서로 부딪쳐야 소리가 나는데, 이 녀석은 머리에 피도 안 마른 것이 싸가지 없게 말이야…

아아, 부장님 진정하세요. 잠시만 상황을 정리해볼게요. 그러니까 부장님이 재미있는 말을 건넸는데, 신입사원이 받아주지 않았다. 이 말이죠?

최부장: 그렇지. 역시 자네는 말이 통하네. 이거지. 요즘 것들은 싸가지가 없어.

어휴 부장님, 속상하시겠어요. 네 이해합니다. 잠깐 옥상에서 믹스커피 한 잔 하실래요?

[옥상에서]

부장님, 바둑에서 기력을 가장 빨리 올리는 방법이 무엇인지 아시나요?

교본을 보는 것, 연구를 많이 하는 것, 나보다 잘하는 상대와 겨루는 것. 이런 것들이 아닙니다. 복기할 때에요. 연구를 아무리 많이 했어도 내 집이 무너지면 눈에 들어오지 않아요. 아는 것이 많다고 실천을 잘 하는 것은 아니잖아요. 내가 둔 수에서 나는 무슨 생각을 했고, 어떤 감정이었으며, 어떤 상황을 통제하지 못 했는지, 점검해야 해요.

> 최부장: 아니 잠깐만, 이렇게 말하면 지금 내가 뭔가 잘못했다고 말하고 싶은 거야? 너는 나한테 유머만 알려주면 돼. 괜히 이상한 잔소리 하지마. 내가 유머를 알려 달라고 했지, 잔소리를 해달라고 했나?

자, 최부장님. 이것 먼저 짚고 넘어가겠습니다. 저는 최부장님의 내면의 소리. 제가 최부장님이고 최부장님이 저입니다. 저는 최부장님이 저를 하대하신다면, 그것은 최부장님이 자신 스스로를 하대하는 것이에요. 최부장님은 내면의 소리인 저를 존중하는 만큼 성장하고, 배려하는 만큼 발전하는 것이에요. 제가 최부장님 머리 속에서 이야기하는 것을 멈출까요?

> 최부장: 끄응…. 아니, 그래. 알았어. 나도 마음을 가다듬고 들어볼 게. 한 번 말해봐

최부장님, "차가운 불"이라는 말을 들어 보셨나요? 아마 못 들어 보셨을 거에요. 불을 원하면서 동시에 차갑기를 원한다는 것은 말이 되지 않잖아요.

불의 본질이 '뜨거움'일 텐데, 본질을 무시한 채로 불을 원하는 것은 좋은 선택이 아니에요.

최부장: 아니, 왜 이렇게 뜸을 들이는 거야? 내가 멍석을 깔아 줬잖아. 그냥 터놓고 이야기해봐. 그래 듣고 있다고. 돌려 말하지 말고 딱 말해 보게.

네, 본론을 말씀드릴게요. 최부장님, 유머와 개그는 달라요. 최부장님이 구사하는 언어는 모두 개그에 초점을 맞추고 있으세요. 그러면서 유머를 원하세요. 이것은 마치 자신은 붉은 원하면서 차가운 상태를 유지하는 것과 동일해요. 이렇게만 말하면 너무 결론만 말한 것 같으니까 기분이 나쁠 수 있는데요. 죄송해요. 내려가지 마시구 이 다음 이야기도 들어주세요.

부장님, 개그라는 것은 '웃음'에 초점을 맞추잖아요. 반면에 유머는 '기분 좋음'에 초점을 맞추는 것이에요. 둘은 비슷하지만 달라요. 상대방의 웃음을 요구하는 개그와 상대방의 기분이 좋기를 바라면서 하는 유머. 받을 것을 생각하고 던지는 농담, 받지 않아도 주고 싶다는 배려, 이런 차이가 있어요.

개그를 한다면, 상대방의 웃음을 요청하잖아요. 반대로 유머를 하면, 상대방이 웃지 않아도 기분 좋게 만들 수 있어요. 상대방이 웃지 않아도 되는 것, 조건 없이 주는 좋은 감정, 그것이 바로 '유머'에요. 최부장님이 '유머'를 주고 싶다고 말하면서 '웃음'이라는 반대급부를 원하시잖아요? 그러면 그것은 유머가 아니라 개그에요.

비즈니스 상황에서 '유머'가 중요하다는 것을 부정하는 사람은 없어요. 그런데, 비즈니스 상황에서 '개그'가 중요하다고 말하는 사람도 없잖아요. 이 점을 집고 넘어가야, 최부장님이 재치 넘치는 유머를 구사할 수 있어요. 유머라는 것은 목표가 '상대방을 기분 좋게 만든다.'에요. 절대로 '내가 기분이 좋다', '상대방을 웃게 만들겠다.' 이런 것이 아니에요.

최부장님이 신입사원에게 던졌던 말을 되집어 볼게요. 말을 건네실 때, 어떤 생각으로 건네셨나요? 내가 이렇게 말을 걸어주니까 너는 나에게 좋은 대답을 해야 한다. 내가 하는 말에 너는 웃어야 한다. 그것이 사회생활의 기본, 직장예의라는 것이다. 이런 식의 마인드가 있지 않으셨나요?

아쉽게도 이렇게 생각하셨다면, 최부장님은 유머를 구사하신 것이 아니에요. 그것은 개그를 시도한 거에요. 그리고 그 개그에서 실패한 것이죠. 물론 최부장님이 선의를 가지고 건넨 말이라는 것은 알고 있어요. 하지만 개그가 실패하고 나서 그 책임은 누가 떠 안아야 할까요? 개그를 잘못 알아들은 신입사원? 개그를 알아들었지만 웃기지 않아서 웃지 않은 신입사원? 아니면 신입사원의 눈높이를 맞추지 못한 최부장님?

내가 무언가를 주고 남에게 무언가를 얻으려는 것. 그것은 마치 '거래'하는 것과 같아요. 그 자체로 이미 '비즈니스'죠. 비즈니스에서 유머가 중요한 이유는 서로 주고받지 않으면서 서로에게 득이 되기 때문이잖아요. 받아내지 않아도 되는 선물, 반대 급부를 기대하지 않고 주는 서비스. 그래서 유머가 비즈니스 자리에서 빛이 나요. 상대방에게 갚지 않아도 되기 때문에 부담 없이 받을 수 있고, 상대방이 갚지 않아도 되기 때문에 줄 때 부담이 없이 주거든요.

이것은 비즈니스에만 해당되는 것이 아니에요. 모든 인간관계가 다 동일해요. 상대방에게 받을 것을 기대하고 주는 것. 이것은 '거래'라고 불러요. 상대방에게 받을 것을 계산하고, 그것에 맞춰서 나의 것을 준비하죠. 상대방이 나에게 줄 수 있는 만큼, 내가 계산해요. 왜냐면 내가 더 주면 손해를 보니까요. 손해보지 않으려면 잘 계산해야죠.

문제는 아무리 계산을 잘 한다 하더라도 그것은 나의 기준으로 한 계산이기 때문에 오차가 있다는 것이에요. 나는 50을 기대하고 주었는데 상대방이 30을 줄 수 있어요. 이 때는 '거래의 실패', 비즈니스가 잘 풀리지 않았다고 말하죠.

오해하지 마세요. '거래'라는 것이 나쁜 것이 아니에요. 모든 비즈니스는 기브앤 테이크, 주고받는 것이잖아요. 반대로 말하면 주고받는 것은 모두 비즈니스에요. 그런데 최부장님이 원하는 것은 이 비즈니스가 아니잖아요? 주고받는 행위 이전에 그냥 무조건적으로 줄 수 있는 것. 내가 아무리 주어도 손해가 아닌 것. 상대방이 받으면 받을수록 이득이 되는 것. 바로 '유머'를 구사하고 싶으시잖아요.

이렇게 설명만 들으면 이해하기 쉬운데요. 실제 사례로 들어가면 이것이 또 굉장히 복잡해요. 나한테는 유머였는데 상대방에게는 개그였을 수 있거든요. 제가 겪었던 실제 이야기 말씀드릴게요.

제가 30살 때 매니져로 일할 때였어요 그때 홍콩에 본사를 둔 완구회사에서 프로젝트 매니져로 일할 때 있던 일이에요. 다국적기업에 다양한 지역으로 수출하는 프로젝트를 관리했는데요. 베트남인 팀리더와 중국인 기술자 사이에서 기싸움을 많이 했어요. 그리고 이럴 때는 언어가 더더욱 예민한 주제였죠.

만약에 제가 부탁을 하는 상황, 예를 들어 베트남 팀장에게 협조를 구할 때는 베트남어를 사용해야 했어요. 반대로 상대방이 저에게 요청을 하는 상황이면 영어로 의사소통을 하구요. 이것은 정해진 규칙은 아니었는데, 다들 말하지 않으면서 지키는 룰이었죠.

그런데 동남아시아 사람들과 영어를 하다 보면 그들이 가지 특징이 있어요. 베트남인과 중국인이 영어를 발음할 때 똑같이 못하는 부분이 있거든요.

장음 단음을 구분하지 않고 소리를 길게 내주어야 하는데 짧게 끊어서 내는 것인데요. 문장이 길면 그래도 앞뒤 상황을 유추해서 파악하기 쉽거든요. 그런데 문장이 짧으면 알아듣기가 힘들어요. 그래서 베트남 중국인들이 영어를 할 때 발음 콤플렉스가 있어요. 그들이 말하진 않았지만, 그런 것 있잖아요. 말하면서 다른 사람의 눈치를 살피는 것이요. 꼭 장음 영어를 발음할 때 눈치를 보더라구요.

한 번은 중국인, 베트남 팀리더랑 같이 식사를 할 때가 생겼는데요. 여기서 제가 분위기를 풀어보려고 농담을 던졌어요. 서로 다른 국적에 모국어도 달라서 조금은 딱딱한 상황이었거든요.

베트남에 있는 서양식 레스토랑에서 서빙하는 사람은 보통 베트남인이에요. 이 베트남 웨이터들이 영어로 말하면, 알아듣기 힘든 소리가 굉장히 많았어요. 그것에 대한 언어유희였는데요. 이렇게 운을 땠어요.

> "내가 보기엔 베트남의 야채들은 건강하다. 내가 레스토랑을 갈 때마다 엄청난 야채들을 나한테 준다고 한다. 그리고 식사를 할 때는 무조건 처음에 엄청난 야채를 먹는다."

이렇게 운을 띄우니까 사람들이 궁금해 하는 것이에요. '엄청난 야채'라고 하니까요. 이것은 베트남인들이 영어를 발음할 때 짧게 그리고 빠르게 발음하다 보면 생기는 혀꼬임 때문에 만들어진 개그인데요. 식사 전에

스프나 샐러드를 먹을지 물어보잖아요. 그런데 처음에 있는 "스프 또는(Suop or)"이라는 말을 빠르고 짧게 말하니까 "Super"처럼 들리는 것이에요. 서빙을 하는 웨이터는 "suop or salad"를 말하고 싶었는데, 저에게는 "Super salad"로 들리는 것이죠.

단순한 헤프닝이기도 하고 크게 중요한 이야기도 아니잖아요. 그래서 저는 이것을 아이스브래이킹 용도로 사용 했는데요. 이게 엄청난 역효과를 불러일으켰어요. 베트남 사람은 중국인과 한국인이 같이 있는 모임에서 베트남인 모두가 영어 발음이 이상하다는 식으로 들었던 것이죠. 저는 제 개인적인 헤프닝을 나눈 것인데, 상대방은 자신이 속한 집단 전체에 대한 비난으로 추인해버렸어요.

말 그대로 대참사죠. 게다가 이 이야기를 했을 때, 사람들이 한 번에 알아듣지 못해서 여러 번 되풀이해서 설명을 했거든요. 그러면서 영어의 발음 super 와 soup or 의 차이를 집어 주었구요. 갑자기 분위기가 대학교 음성론 챕터 2 강의가 되버렸지 뭐에요. 이미 내뱉은 말을 주워담을 수 없으니, 왜 이런 현상이 일어났는지 설명했는데요. 끝나고 보니 유머가 아니라 설교가 되더라구요.

아 이 이야기를 왜 하냐구요? 저는 이때 베트남 팀리더에게 '유머'를 구사 중이라고 생각했어요. 그런데 그것은 유머가 아니라 '개그'였죠. 상대방이 웃지 않으니까 개그를 친 사람이 머쓱해지는 농담이요. 제가 머쓱하니까 이것이 유머라는 것을 증명하기 위해서 일일이 설명하는 상황까지 갔는데요. 지금 뒤돌아 보면 최악의 개그였던 것 같아요.

이 이야기의 결론은 이것이에요. "나에게는 유머였는데, 상대방에게는 개그일 수 있다." 나는 웃음을 주고 싶어서 한 말이었지만, 상대방은 불쾌함을 느낄 수 있다. 지금은 이렇게 뒤돌아보면서 글을 쓰기 때문에 당연히 불쾌할 수 있다고 느끼는데요. 지금이니까 그렇게 생각할 수 있는 것이죠. 그때 그곳에서는 그렇게까지 생각할 수 없었어요.

왜냐면 제가 다른 외국인과의 언어교환 모임 혹은 친한 베드남인과 이야기할 때는 그렇지 않았거든요. 이보다 더한 농담을 던져도 서로 웃으면서 친분을 쌓을 수 있었는데요. 소잃고 외양간 고치자면, 이때 분위기가 엉망이 된 이유는 이 모임이 서로 긴장을 하고 있는 업무관계여서 그런 것 같아요. 또한 언어라는 것이 서로의 업무위치를 대변하는 곳인데, 상대 집단의 언어능력을 유희로 쓰는 것은 좋은 선택이 아니었어요.

제가 유머라고 생각하고 상대방에게 말을 해도, 상대방은 개그로 알아들을 수 있다는 것. 저는 웃음을 주기 위해 한 말이지만, 상대방은 불쾌함을 느낄 수 있더라구요. 그런데 개그를 목표로 상대방에게 농담을 던진다고요? 그러다가 상대방이 웃지 않으면 정말 엄청난 대참사가 벌어지겠죠? 그래도 부장님은 신입사원한테 하신 것이잖아요. 그러니 최소한 그 신입사원이 뒤에서 부장님 욕을 하고 다니지는 않겠죠.

설마… 신입사원인데 부장님 욕을 하고 다닌다고요? 안되겠어요. 빨리 부장님에게 유머를 전수해 드려야겠네요. 지금까지 마이너스였다면 지금부터 회복하면 되죠. 이번 장에서 기억하실 것은 다음과 같습니다.

1. 유머는 개그가 아니다

- 개그는 상대방으로부터 웃음을 받을 생각으로 하는 것이다.

- 유머는 상대방을 기분 좋게 만들 생각으로 하는 것이다

2. 나에게는 유머가 상대방에게는 개그일 수 있다

- 개그 한 번 잘못하면, 사내 뒷담화에서 조리돌림 당할 수 있으니까 조심하자.

- 이런 것을 최부장님만 당하는 것이 아니니 너무 억울해하지 말자

1장.

최부장님이
영어유머를 못하는 이유
대참사

" 유머는 개그가 아닙니다 2 "

최부장: 아니, 유머야. 너도 그렇게 당한 적이 있어? 아니 그러면 유머라는 것이 뭐야. 상대방을 웃게 만드려는 농담. 이것이 유머가 아니었다고? 그럼 도대체 유머라는 것이 뭐야?

네, 유머는 더 포괄적인 개념이에요. 유머라는 거대한 개념 안에 농담이 있어요. 그리고 농담이라는 카테고리 안에 개그라는 것이 있구요. 이렇게 개념 정의만 말하면 이해하기 힘들어요. 제가 실제로 구사했던 유머를 사례로 설명 드릴게요. 웃음은 없지만 기분 좋음은 있는 말에 대해서요.

제가 31 살 때 베트남에 상장한 금융사에서 Business Development Manager 로 일할 때에요. 큰 딜을 성사시키기 전에 과장, 차장, 부장과 미팅을 가졌어요. 타 부서와의 업무협조도 끝난 상태였어요. 관련 백데이터를 정리해 두었고 제안서도 완성했어요. 하나 부족한 것이 있다면, 경쟁사가 어느 정도 수준으로 제안서를 작성했는지 몰랐다는 것이에요. 그래도 관련 사안들을 면밀히 검토하고 진행했기에 자신이 있었죠.

얼마 후 고객사와의 미팅도 끝났고, 경쟁사도 피티도 종료됐어요. 결과는 오래 걸리지 않더라구요. 고객사가 본사에 보고하고 결정 내리기 때문이죠. 고객사의 지점장과 법인장이 의사결정 하는데 역할이 있기는 하지만 결국 데이터를 중심으로 본사에서 결정하거든요.

그런데 여기서 예상 외의 결정이 나왔지 뭐에요? 경합에서 경쟁사가 우위를 차지했 데요. 논리적으로 좀 말이 안 되는 상황이었어요. 저희가 제시한 조건이 불법과 비법 사이를 넘나드는 아슬아슬한 조건이었거든요. 그런데 이런 파격적인 조건보다 더 좋은 조건을 제시했다는 것은 확실한 불법이었을 거에요. 상장한 기업들이 이렇게 대놓고 과감한 조건을 내놓을 수 없을텐데 말이에요. 이것에 대한 말이 많았지만 아무튼 결론을 통보 받았을 때 후속 미팅을 가졌어요.

"Tiếc quá ! khô ng thà nh khô ng, khô ng thô ng minh."

(망했구만! 성공하지 않았고, 똑똑하지도 않았어)

같이 업무를 준비한 베트남 과장이 말하는 것이에요. 이 말을 잘 보면 눈에 띄게 많이 등장하는 단어가 있죠. 바로 "khô ng"이라는 단어. 이것은 베트남어에서 여러 가지 의미로 쓰여요. 대부분 부정적일 때 쓰는 말이에요. 무언가 실패했을 때, 그리고 불가능일 때. 이전에도 안 됐었고 지금도 아니면서 동시에 앞으로도 아니다라는 의미를 지니고 있어요. 그 어원에는 '무'라는 것을 함축하고 있으며, 존재하지 않음을 말해요. 존재하지 않는 것이기에 의문사를 만들 때 사용하죠.

아무튼 베트남 과장의 말을 번역하면 다음과 같아요. "망했어, 성공이 없고, 똑똑하지도 않아." 그 말 다음에 쏟아지는 말들은 정말로 처참했어요. 무엇이 실패였는지, 누가 잘못했는지, 어떤 점이 화가 나는지 쏟아 내는 것이에요. 서로 안타까움과 분노 그리고 짜증을 주고받았는데, 시간이 지나면 감정의 골이 깊어질 것 같았어요. 네, 바로 유머가 필요한 시기였죠. 그때 제가 끼어들어서 이렇게 유머를 시도했어요.

"Em cũ ng tiê c nó . Nó   chứ khô ng phải khô ng thà nh khô ng và khô ng thô ng minh. Chỉ là   chưa thà nh khô ng và   chưa thô ng minh."

번역을 한다면 이렇게 됩니다. "저 역시도 너무나 안타깝습니다. 그런데 그것은 실패한 것이 아니고 멍청한 것도 아닙니다. 다만 아직 성공하지 않았을 뿐이고, 아직 똑똑하지 않은 것입니다."

베트남어에서 부정형은 2 개에요. 하나는 앞에서 말한 "khô ng"이라는 완전 부정형. 다른 하나는 "chưa"라는 미완전 부정형이에요. 한국말로 번역한다면 첫 번째 단어는 '아니'이고 두 번째 단어는 '아직'이죠. 제가 바꾼 한 마디는 "안"이에요. "아직"이라는 단어로 언어 유희, 유머를 시도한 것이죠.

아직 성공하지 않았다는 말은 이제 성공한다는 의미를 함축하고 있잖아요. 그것은 앞으로의 성공을 계획하게 만들구요. 제가 구사한 유머는 다음의 말들을 함축하고 있어요.

'과거의 실패에 얽매이는 것이 아니라 앞으로의 성공을 바라봐야 한다. 우리는 안 되는 점을 찾는 것이 아니라 극복해야 하는 요소들을 찾아야 한다. 막힌 것은 뚫기 위해서 막혀 있는 것이다. 닫힌 것은 열기 위해서 닫힌 것이다. 없는 것은 얻기 위해서 없는 것이다.'

우리의 회의는 방향을 바꾸었고, 앞으로 무엇을 해야 하는지, 다음 것은 무엇이 있는지, 이번에 우리가 놓쳤던 것들은 어떻게 보완할 수 있을지 고민하게 됐어요. 제가 던진 말 한 마디로 회의 방향 자체가 바뀐 것이죠.

여기서 웃게만드는 농담은 없었어요. 물론 개그도 없었죠. 그런데 험악해지던 비즈니스 미팅이 갑자기 밝아졌어요. 서로 물고 뜯고 난리도 아니었던 상황인데, 급격하게 턴을 했어요. 사람들이 박장대소하지는 않았지만, 다들 공통적으로 이것을 느꼈던 것 같아요. '우리 미팅의 분위기가 바뀌었다.'

유머라는 것은 이런 것이에요. 남을 웃기려고 하는 것이 아니 에요. 타인을 농담의 소재거리로 쓰는 것도 아니죠. 혹은 남들이 내 말에 웃어 주기 바라면서 던지는 말장난도 아니 에요. 유머라는 것은 '상대방의 기분을 좋게 만드는 것'을 말해요. 내가 부담 없이 줄 수 있고, 타인이 부담 없이 받을 수 있는데, 동시에 서로 기분이 좋아지는 것. 그것이 바로 '유머'의 본질이고 핵심이에요.

> 최부장: 아니, 잠깐만. 이거 너무 어려운 것 아니야? 자네가 구사한 유머는 레벨이 너무 높단 말이야. 이런 말을 구사하려면, 상대방의 문화도 알아야 하고, 해당 언어가 가지고 있는 고유한 특성, 그리고 현재의 상황 분석, 적절한 타이밍에 맞춰서 말하는 재치까지. 너무 많은 변수들이 존재하는 것이잖아.
>
> 이런 것이 유머라면 너무 어렵잖아. 지금 내 나이에 이런 것을 어떻게 구사하냐 말이야.

최부장님, 지금부터 하는 말이 진짜 중요합니다. 쉬운 일이었으면 누가 못 했을까요? 어려우니까 못 한다는 것은 너무나 당연한 말이에요. 어려우니까

하는 것이죠. 쉬운 것이었다면 할 필요가 없어요. 아무나 하는 일이면 왜 그렇게 고민하고 노력하고 낑낑대는 것일까요? 아무나 할 수 없으니까 고민하고 노력하고 낑낑대는 것이에요. 유머라는 것이 그냥 농담을 외우고 앵무새처럼 읊조리는 것이었다면, 누구나 다 할 수 있었겠죠.

최부장: 듣고 보니 그 말이 맞네. 근데 말이야. 그래도 힘들어. 어렵다고. 아니 이거 봐. 힘든 것을 힘들다고 말해주고, 어려운 것은 어렵다고 말해주면, 내가 유머랑 이렇게 말할 필요가 없잖아. 어려운 것을 알아. 그러면 그 어려운 것을 어떻게 보다 쉽게 이룰 수 있느냐? 그것을 알려줘야 하는 것 아니야?

맞아요. 최부장님. 지금까지는 유머에 대해서 말을 한 것이었어요. 그런데 이것은 단순하게 목표를 설정하려고 말씀 드린 것이에요. 목표가 설정되지도 않았는데, 어떻게 그 목표를 이룰 방법이 나오겠어요. 그렇죠? 유머가 개그가 아니라는 것을 이해하신 것이잖아요. 그냥 아무렇게 농담을 던지면 안 된다는 것도 알게 되셨구요. 그러면 이제부터 본격적인 코칭을 시작하겠습니다.

이렇게 말하고 바로 영어로 된 사례집과 설명을 하면 좋을텐데요… 아쉽게도 그렇게 진행할 수는 없을 것 같아요. 왜냐면 영어유머를 구사한다는 것은, 에베레스트 산을 등산한다는 것과 같기 때문이에요. 지금 상태는 에베레스트 산이 뒷동산과 다르다는 것을 이해한 상태에요. 그런데 지금 이 상태로 산을 오르면 분명 산 중턱에서 낙오하겠죠? 뭣 모르고 아무렇게 질러 댔던 개그들이 차갑게 식어서 돌아오면, 감당하실 수 없잖아요. 에베레스트 산을 오르다가 갑자기 눈사태가 일어나면, 그때는 곱게 하산할 수 없듯이요.

그런데 말입니다. 이 에베레스트 산이 8,848 미터가 아니라 1,000 미터 남짓한 산이라고 한다면 어떤 생각이 드실 까요? 시작하기 전에는 엄청 거대한 일이라고 생각했는데, 다시 따지고 보니 그렇게 어마어마하게 어려운 일이 아니었다면 말이에요.

　　최부장: 무슨 소리야? 영어로 유머를 구사하는 것이 생각보다 쉽다는 것이야?

정답이에요. 정확히 맞아요. 유머를 구사한다는 것은, 생각보다 쉬워요. 해보지 않았으니까 어려운 것이에요. 자전거를 처음 탈 때 기억나세요? 두 발을 땅에서 떼어 놓고 빠르게 굴러가는 기계 위에 몸을 맡기는 상태. 네 발일 때는 쉬운데 두 발이 되면 무시무시하게 어려워지는 것. 그런데 막상 몇 번 연습하고 익숙해지면 아무것도 아닌 것. 유머도 마찬가지예요. 익숙하지 않아서 어려운 것일 뿐입니다. 다음장에서는 그 이유를 설명 드릴게요.

장.

최부장님이
영어유머를 못하는 이유
대참사

" 바이어에게 가위/바위/보를
　이길 확률이 33%가 아닌이유 1 "

최부장님 눈 앞에 바이어 한 분이 있다고 가정해 볼게요. 최부장님은 이 바이어와 가위바위보 게임을 해야 합니다. "이 게임을 하고 싶다"가 아니라, "해야 한다"라는 상황이에요. 앞뒤 문맥을 다 자르고 아무튼 그렇다고 가정할게요. 그런데 이것 아시나요? 최부장님이 바이어와 가위바위보 게임을 했을 때 이길 확률은 1/3 이 아니라는 것이요.

> 최부장: 아니 무슨 소리야? 가위 바위 보에서 이길 확률이 33%가 아니라고?

예, 최부장님이 바이어랑 가위 바위 보를 했을 때, 이길 확률은 33%가 아니에요. 잘 생각해 보세요. 두 명이 가위바위보 게임을 하잖아요. 그러면 둘 중에 한 명은 이기고 한 명은 져요. 그러면 승률은 50%가 되는 것이죠.

> 최부장: 아니, 자네는 지금 말장난을 하고 있어. 확률상 이길 확률은 33%가 맞지. 왜냐면 가위 바위 보는 승/패 말고 가능성이 하나 더 있잖아. '비긴다.' 이것까지 생각을 한다면, 이길 확률은 1/3 이 맞아.

그러면 최부장님, 가위 바위 보를 할 때 비기면 비겼다고 하고 멈추나요? 누군가는 승하고 반대편이 패할 때까지 하지 않나요? 여기서 핵심은 가위바위보라는 도구가 아니라 둘 중에 한 명이 이겨야 한다라는 결론 아닌가요?

최부장: 어… 그렇지. 가위바위보는 비겼다고 해서 멈추지는 않지.

이것이에요. 결국 둘 중에 한 명은 이기고 나머지 한 명은 진단 말이예요. 가위바위보를 1번 할 때 이길 확률은 1/3 일 수 있어요. 그런데 바이어와 둘이서 가위 바위 보를 한다는 대전제를 생각해야 해요. 결국 둘 중에 한 명은 이기고 나머지 한 명은 지는 게임이잖아요. 결론적으로 이길 확률은 50%라는 소리예요.

최부장: 묘하게 설득이 되는 구만. 충분히 일리 있는 말이야. 그런데 '삼'은 없구만

네? 무슨 소리세요?

최부장: 녀석 참, 못 알아듣는 구만. 1 이랑 2 는 있으니까 일리 있는 말이라고. 그런데 삼은 없다고. 하핫!

제가 웃어 드렸 어야 했는데, 이해를 못 했군요. 네, 넘어가겠습니다.

최부장: 이보게, 이렇게 재치 넘치는 말장난이 어디 있겠나? 웃어 보게나.

신입들이 힘들어 하는 이유를 알겠네요. 부장님 이런 개그는 절대 하지 마세요. 제가 설명하는 중에, 정말 뜬금없이 말장난을 하면 제가 갑자기 좋다고 웃겠어요? 저는 진짜 진지하게 부장님을 위해서 열변을 토하고 있잖아요. 그런 저한테까지 이런 개그를 날리시면 어떻게 하세요. 좀 참아주세요. 저를 미소 짓게 하는 유머는 이런 개그가 아니에요. 그냥 잘 이해했다고 한 마디 해주는 것, 그게 가장 좋은 유머에요.

다시 본론으로 돌아 올 게요. 둘이서 가위바위보를 하면 이길 확률은 50%에요. 절대 33%가 아니에요. 이 말을 잘 기억해주세요. 그렇다면 유머를 구사했을 때, 상대방이 미소 지을 확률은 얼마나 될까요?

30% 미만이라고 생각했다면 대답을 참아주세요. 물론 그렇게 생각할 수 있어요. 유머를 구사할 때 고려해야 할 것들이 너무나 많고, 그 요소들이 전부 개인적인 요소들이니까 호불호가 갈릴 수 있으니까요. 맞아요. 그런데 유머를 구사했을 때, 바이어가 미소를 지을 확률은 50%에요. 왜냐면 바이어의 반응은 둘 중 하나일 것이기 때문이에요. 미소를 짓는다. 미소를 짓지 않는다. 딱 2가지 밖에 없잖아요.

결론만 놓고 보자는 것이에요. 내가 어떤 행동을 하고 어떤 말을 했을 때, 상대방이 나에게 보이는 것은 둘 중에 하나에요. 호감도가 올라간다. 혹은 호감도가 올라가지 않는다. 딱 둘 중 하나죠. 물론 호감이 올라가지 않는다는 카테고리 안에는 '비호감이 올라간다.'라는 하부 카테고리가 있겠죠.

그렇다 하더라도 결론만 보면, 호감도가 상승한다. 혹은 상승하지 않는다. 이렇게 둘만 있다고 보는 거예요. 물론 여기에 논리적 오류가 있을 수 있어요. 이것은 확률로 정해진 가위바위보 게임이 아니에요. 그래도 최부장님은 이렇게 생각하셔야 해요. 만약 이렇게 생각하지 않으면 어떤 일이 벌어지는지 아시나요? 여태까지 부장님께서 겪었던 일들을 되짚어 드릴게요.

바이어가 미소 지을 확률이 50%가 아니라고 생각하면, 다양한 수를 생각하게 돼요. 다양한 경우의 수를 생각하게 되는 것이죠. A가 일어났을 때 A'라는 조건이 맞지 않을 수 있다. 이때 B라는 조건은 배타적 변수로 영향을 받지 않지만 동시에 C가 변화한다. 이런식으로 생각해요. 이런 복잡한 알고리듬은 꼬이고 꼬여요.

완전한 혼돈. 이길 확률이 50%가 아니라고 생각했는데, 결론적으로 그 확률이 0%로 수렴하게 돼요. 왜 인지 말씀 드릴게요. 가위바위보 게임에서 이기는 것보다 중요한 것. 그것은 바로 가위바위보 게임에 참여하는 것이에요. 혹시 그런 적 있지 않아요? 가위 바위 보 게임을 할 때, 상대방이 무엇을 낼 지 몰라서 무엇을 낼 지 계속해서 생각한 적이요.

이 생각이 낳는 최악의 결과. '게임에 참여하지 못 한다.' 에요. 예를 들면, '상대방이 가위를 낼 것 같으니까 나는 바위를 내 야지' 라고 생각을 했어요. 그런데 문득 이런 생각이 드는 것이에요. '아니 잠깐만, 내가 바위를 낸다는 계산을 상대방이 하면, 상대방은 보자기를 낼 것이잖아. 그러면 나는 가위를 내 야지.' 그리고 가위를 내려고 준비를 하는데, 다시 또 다른 수가 생각이 나요. '그런데 이것까지 예상했으면? 그래도 처음 내 예상이 가위였으니까 나도 가위를 내면 최소한 비기거나 이기지 않을까?'

이렇게 꼬아서 생각하고 계속 이어지다 보면, 아무것도 낼 수 없게 됩니다. 정말 아무 것도 할 수 없게 되는 것이에요. 가위바위보라는 단순한 게임조차 단번에 해결하지 못하는 사람이 되는 것이죠. 왜 이런 일이 벌어 졌냐고요? 단순하게 생각하지 않아서 그래요. 가위바위보 게임은 정말 단순해요. 상대방이 이기거나 내가 이기거나. 둘 중에 하나에요. 결론만 보고 생각하면 그렇다는 것이에요.

유머도 마찬가지예요. 최부장님이 영어유머를 실패하는 가장 큰 이유. 그것은 최부장님이 영어유머를 구사하지 않았기 때문이에요. 가위바위보 게임에서 가위든 바위든 보든 무엇이든 내야 게임이 됩니다. 그런데 이길 확률이 33%라고 생각하니까 못 내는 것이죠.

유머를 구사했을 때 상대방을 웃길 확률도 30% 미만이라고 생각하셨죠?

그러니까 유머를 구사하지 못 하는 거예요. 게임을 이기려면 게임을 참여해야 해요. 가위바위보를 이기려면 가위든 바위든 보든 내야 하는 것이구요. 마찬가지로 바이어의 기분을 좋게 만들고 싶다면, 일단 시도를 하셔야 해요. 시도해서 성공할 확률이 30% 미만이라서 못 하겠다고요? 지금 다시 이 챕터 처음으로 돌아가세요. 다시 읽으세요. 지금 두 번째 읽는 중이라구요? 세 번 더 읽으세요. 가위바위보 이길 확률은 33%가 아니다. 바이어에게 영어유머를 성공할 확률은 30% 미만이 아니다. 이 문장이 확실해질 때까지 계속 읽으세요.

그리고 이렇게 생각해보세요. 가위바위보 게임에서 이길 확률이 30%라고 쳐보자는 것이에요. 그래도 무려 이길 확률이 30%나 되는 것 아닌가요? 참여만 하면 최소한 30%는 이긴다는 것이잖아요. 그런데 참여하지 못하면요? 아니 참여를 안 하면요? 그러면 이길 확률이 0%에요. 최소한 0%보다는 30%가 높지 않을까요?

유머에 대한 생각도 다시 해봤으면 좋겠어요. 지금까지 유머를 구사하지 못했다가 아니라 안 했다고 말이 에요. 시도하지 않으면 얻는 것은 없어요. 결국 상대방의 기분을 좋게 만들 확률이 0%라는 것이죠. 바이어에게 미소를 드리고 싶으신 가요? 영어로 유머를 구사하고 싶으신 가요? 일단 참여하세요. 그리고 50%의 승률을 얻어내세요. 최소한 0%보다는 나을

테니까 말이 에요.

지금 이렇게 말하는 순간에도 다른 생각을 할 수 있어요. 아무리 생각해도 영어유머로 상대방의 기분을 좋게 만들 확률이 50%가 안 될 것이라는 생각이요. 그것은 다음 챕터에서 박살내 드리겠습니다.

장.

최부장님이
영어유머를 못하는 이유
대참사

" 바이어에게 가위/바위/보를
 이길 확률이 33%가 아닌이유 2 "

"가위바위보에서 이긴 사람은 이유가 있고, 진 사람은 이유가 없어요." 이 말을 기억해주세요. 이기는 사람은 이유가 있고, 지는 사람은 이유가 없어요. 만국 공통 게임인 가위바위보도 우연히 이기는 사람이 없다는 말이 에요.

제가 학창시절 때입니다. 수련회에서 가위바위보 게임을 한 적이 있어요. 그냥 가위바위보 게임이 아니라 누가 더 빨리 연속해서 이기는지 가리는 게임이었어요. 룰은 간단해요. 모든 참여자들은 쥐가 됩니다. 쥐는 쥐끼리 가위바위보를 할 수 있어요. 이긴 사람은 닭으로 진화해요. 닭은 닭끼리 가위바위보를 할 수 있어요. 여기서 이기면 원숭이가 돼요. 원숭이도 원숭끼리 가위바위보를 할 수 있어요. 여기서 이기면 코끼리가 돼요. 코끼리도 코끼리끼리 가위바위보를 할 수 있어요. 여기서 이기면 사람이 돼요. 만약에 지면, 그 사람은 쥐로 돌아가요. 코끼리까지 진화를 했다가 지면 다시 쥐가 되는 셈이죠.

누가 가장 빨리 연속해서 이겨서 사람이 되는지 겨루는 시합이었는데요. 이 게임을 하면 재미있는 현상을 볼 수 있어요. 이 게임을 만약 10 번 하잖아요? 그러면 10 명 전부 다른 사람이 1 등을 하지 않아. 한 명이 1 등을 3~4 번 정도 해요. 다른 친구도 1 등을 2 번씩 해요. 신기하죠? 무슨 현상이냐면, 이전에 이겼던 놈들이 앞으로도 이길 확률이 높아요.

말 그대로, 이기는 놈은 이길 확률이 높고, 지는 놈은 질 확률이 높아요.

가위바위보라는 게임은 단순한 확률게임이 아니더라구요. 물론 확률게임이기는 하죠. 하지만 여기에 정말 중요한 단어 하나를 더해야 해요. 바로 '계산된' 가위바위보 게임은 '계산된' 확률게임이에요.

우리 모두는 가위바위보 게임을 할 때, 처음에 내는 것이 습관적으로 있거든요. 누구는 가위를 먼저 내고, 누구는 바위를 먼저 내요. 사람들마다 '처음'에는 내는 것이 어느 정도는 정해져 있어요. 더 재미있는 사실은, 그 다음에 내는 순서도 어느 정도는 정해져 있어요. 예를 들면 가위를 먼저 내는 사람은 그 다음에 바위나 보를 먼저 내요. 가위바위보 한 번씩 다 냈으면, 다시 처음 냈던 것으로 돌아와요. 그리고 이 순서는 일정하게 반복되죠.

이런 적 보신 적 있을 거에요. 둘이서 가위바위보를 하는데, 둘 다 계속 비겨서 10 번 연속으로 가위바위보를 하는 상황이요. 둘 다 처음 내는 것이 같고, 그 다음을 반복해서 내는 순서가 같아서 벌어지는 현상입니다. 텔레비전 예능 프로그램에서도 가끔씩 이런 상황이 연출되기도 하죠. 어떤 사람은 이것이 짜고 치는 고스톱이라고 하는데, 많은 분들이 이런 상황을 보면서 웃으며 공감합니다. 우리 모두는 이 모습이 자연스러운 일반상황이라는 것을 알기 때문이에요. 이것을 이해하셨다면 여기서 중요한 질문을 던질게요. '저는 과연 가위바위보에서 무엇을 먼저 낼까요?'

정답을 말씀드릴게요. 그때그때 달라요. 제 3 자로 관찰하고 있다가 둘이서 가위바위보 게임 하는 것을 보면, 각자 먼저 내는 것이 무엇인지 알 수 있잖아요. 두 명의 게임이 끝나면, 그때 가서 게임을 했어요. 이미 전판에서 상대방이 무엇을 먼저 냈는지 봤거든요.

감을 잡으셨나요? 학창시절 수련회에서 가위바위보 게임을 해서 먼저 인간이 된 사람, 그것도 연속해서 1등을 3~4번씩 하고 가장 좋은 성적을 냈던 사람, 그것이 바로 저입니다. 제가 가위바위보 하나만큼은 기가 막히게 잘 했습니다.

그때 그 게임을 관리하던 선생님이 저에게 묻더라구요. 유머는 도대체 어떻게 이렇게 여러 번 1등을 빨리 할 수 있었냐? 비결이 뭐냐? 그때 제가 뭐라고 대답했는지 아시나요?

"우연이죠. 우연히 이긴 것입니다."

우리는 이런 것을 전문용어로 '사기'라고 말합니다. 남들에게 비법을 알려주고 싶지 않아서 치는 거짓말. 사실 이 비법은 제가 남들에게 잘 안 알려주는 것인데, 최부장님이니까 특별히 알려드리는 거에요. 만약에 지금도 학교에서 수련회 때 이런 게임을 한다. 그러면, 우리 자녀들에게 이 책을 선물해주세요. 남들에게 주면 안 되요. 최부장님 아드님과 따님분에게만 알려주세요. 남들도 알면, 그 누구도 먼저 가위바위보 게임을 하지 않을 것이기 때문이에요.

그런데 더 살펴봐야 하는 문제가 있어요. 이런 게임을 10 번 정도 하면, 제가 3~4 번 정도 1 등을 했는데요. 반대로 말하면 6~7 번 정도는 제가 1 등을 못 했다는 것이에요. 사실 이 방법을 알고 있는 친구들이 몇 명 더 있다는 소리죠. 물론 모르고 1 등한 친구도 있어요. 재밌죠? 뭘 모르고 하는 사람도 이길 때가 있다는 것이요. 그런데 이것도 조금만 생각해보면 답이 나와요.

제 전략을 보면 가장 먼저 하는 것이 '관찰'이에요. 내 미래의 경쟁상대가 무엇을 먼저 내는지 관찰을 해요. 그리고 나서 조심스럽게 다가가서 가위바위보 게임을 신청하죠. 너스레를 떨기도 하고, 주위를 돌리기도 했다가 갑자기 가위바위보를 내는네요. 이 방법의 문제는, 시간이 오래 걸린다는 것이에요.

남들이 가위바위보 게임을 진행하는 동안, 저는 관찰을 먼저 해야 하잖아요. 그런데 머리 속으로 다 기억할 수 없으니까, 눈 앞에 있는 사람이 하는 것을 기억했다가 다가가요. 남들이 2~3 번 가위바위보 게임을 하는 동안, 저는 1 번 밖에 못 해요. 다시 말해서 누군가는 3 번을 이길 수 있는 시간 동안, 저는 딱 1 번 이긴다는 것이에요.

더 짜증이 나는 것은, 이런 규칙을 지키지 않는 친구들이 있다는 것이에요. 내 앞에 친구와 가위바위보를 할 때는 분명 '바위'를 먼저 냈는데, 저랑 할 때는 '가위'를 먼저 내는 것이죠. 이러면 저는 남들이 3 번 이길 수 있는 시간

동안 공을 들어서 1 번 졌어요. 원래 상태로 돌아가는 동안 남들은 6 번 게임을 합니다.

즉, 6~7 번 정도는 우연히 남들이 더 빨리 가위바위보 게임을 이길 수 있다는 것이에요. 확실한 승리를 하겠다고 시간이 길어지면, 1 등을 놓쳐요. 그리고 내가 잘 계산했다고 생각하고 가위바위보를 내질렀는데 질 수도 있죠. 너무 억울하잖아요. 내 앞에서는 분명 바위를 먼저 낸 놈이 저 한테는 가위를 먼저 낸다니요. 그렇다고 화를 낼 수도 없구요.

유머가 딱 이래요. 분명히 바이어를 미소 짓게한 다른 사람의 행동을 내가 똑같이 따라 했는데, 그 놈한테는 웃어줬던 바이어가 나한테는 웃어주지 않는 것이에요. 심지어 기분이 언짢아졌는지 얼굴까지 찌푸릴 수도 있어요. 억울하잖아요. 남들에게는 웃음이 헤픈 바이어가 나한테는 각박하다는 사실이요.

그런데 최부장님, 1 등을 10 번 중에 3~4 번 한다는 것은 엄청난 것 아닌가요? 1%의 확률을 3~4 번이나 뚫었다는 것이잖아요. 남들은 1 번 뚫기도 힘든 것을 3~4 번이나 성공해냈다고 생각하면, 오히려 더 자신감이 생기지 않을까요?

유머라는 것을 할 때마다 성공하는 사람은 없어요. 바이어를 100% 미소 짓게 만드는 비즈니스맨은 없다는 말이 에요. 어쩌면 바이어가 옆 부서에 있는 김부장님에게 미소를 지어줄 수 있구요. 혹은 우리 경쟁 업체인 S 사의 이부장한테 미소를 지어줄 수도 있어요. 이 확률이 1% 미만일 수 있는데, 최부장님은 30~40%나 되는 확률로 바이어의 기분을 좋게 만들 수 있어요. 어떻게 그렇게 할 수 있냐고요? 그것은 앞으로 천천히 이야기 나눠 드릴게요.

이번 챕터에서는 이것만 기억해주세요. "바이어를 웃게 만드는 비즈니스맨은 이유가 있고, 웃게 만들지 못하는 비즈니스맨은 이유가 없다." 만약 최부장님이 이유가 없다. 그러면 최부장님은 여기서 이길 확률이 1%도 안 된다는 뜻이에요. 이니, 아니죠. 누군가는 30~40%로 이기니까, 최부장님이 이길 확률은 0.001%라고 생각하는 것이 맞아요. 다시 한 번, 바이어와 가위바위보 게임을 했을 때 이길 확률은 33%가 아니에요.

2. 최부장님은 모르는 김부장님의 영어유머 비결

앞에서도 말씀드렸지만, 이기는 사람은 이유가 있고 지는 사람은 이유가 없어요. 그렇다면 이기는 사람들은 특별한 이유가 있을까요? 전혀 그렇지 않아요. 이기는 사람들의 이유는 아주 평범해요. 그리고 너무나 당연한 것들이에요. 누구나 가위바위보를 낼 때 자신만의 패턴이 있다. 이기는 사람은 그 해당 사람의 패턴을 미리 알고 있었다. 그래서 이기는 것이다. 너무나 쉽죠. 모를 때는 확률이 되지만 알 때는 승리가 되는 이유. 영어유머도 마찬가지에요. 모를 때는 희박한 확률이 되지만, 알면 정말 별 것 없는 영어유머의 비결, 그것을 알려드릴게요.

:장.

최부장님은 모르는
김부장님의 영어유머 비결

" 유머의 80%는 OOO OO 입니다 "

최부장: 아니 정말 화가 난다니까? 김부장 녀석이 또 빅딜을 클로징했어. 특별한 것이 없어 보이는데 왜 김부장은 계속 빅딜이 클로징이 되는 거지?

어머나, 김부장님 이번에 또 클로징을 했어요? 완전 능력자시네요?

최부장: 아냐, 김부장 별 것 없어. 걔도 나랑 똑같이 한국에서 대학 나왔어. 대학이 좋은 것도 아냐. 인서울도 겨우 했거든. 그런데 희한하게 이 녀석이랑 미팅만 하면 바이어들이 딜을 준다고. 도대체 왜 그러는 거야? 진짜 뭐 특별한 것도 없는데 말야.

최부장님. 그거 에요. 김부장님이 특별한 것이 없다는 것. 그것이 바로 김부장님의 무기에요.

최부장: 뭔 소리야? 특별한 것이 없다는 것이 김부장의 무기라고?

네, 특별한 것이 없다는 것. 그것이 김부장님을 특별하게 만드는 것이라구요. 안되겠네요. 우리 잠깐 다시 옥상에 올라가죠. 최부장님은 잘 모르는 김부장님의 무기, 꼼꼼히 분석해 드릴 게요.

최부장: 그래. 스트레스 받는데 커피나 한 잔 하자.

[옥상 위]

최부장님, 오리가 호수 위에 둥둥 떠다니는 것처럼 보여도, 물 아래에서는 죽을 듯이 발버둥 치고 있다는 것 아시죠? 김부장님이 평안해 보이고 특별한 것 없어 보이는 것, 그 밑에 정말 치열하게 준비하고 죽을 듯이 발버둥 치고 있는 것이 무엇인지 알려 드릴 게요.

부장님, 혹시 롱테일법칙이라고 들어보셨나요? 이 규칙은 파레토 법칙이라고 불리기도 하는데, 많은 사람들에게는 20:80 법칙으로 알려져 있어요. 인풋과 아웃풋의 대비가 20 대 80 으로 나뉜다는 것인데요. 전체 결과의 80%가 전체 원인의 20%에서 일어나고 전체 결과의 20%가 전체 원인의 80%에서 일어난다는 것이에요. 이탈리아의 경제학자인 빌프레도 파레토가 발견한 법칙이라서 <파레토 법칙>이라고 부르거든요.

　　　　최부장: 이봐, 나를 너무 무시하지 말라고. 나도 그런 법칙은
　　　　들어본 적이 있어.

네, 그렇죠. 그런데 중요한 것은 이 법칙이 자체가 아니 에요. 이 법칙을 우리 인생에 어떻게 적용하냐는 것이에요. 회사로 예를 들어볼게요. 회사를 보면 정말 많은 직원들이 있잖아요? 그런데 그 직원들이 다 똑같은 효율을 가진 것은 아니에요. 돈을 벌어다 주는 직원은 전체 직원들 중 20%밖에 안 되거든요. 나머지 80%는 돈을 벌어다주기는 커녕 오히려 비용만 늘리는

필요 없는 존재들로 보여요.

그러면 멍청한 회사는 어떻게 생각하는지 아세요? 정말 효율이 좋은 인력 20%를 남겨두고 나머지 80%를 해고한다. 이후에 좋은 인력으로 다 채우면 매출이 5 배가 될 것이다. 쉽게 생각해보면 그렇잖아요. 효율이 나쁜 인풋들은 없애 버리고, 효율이 좋은 인풋들로만 가득 채운다. 그러면 얼마나 가치창출이 잘 되겠어요.

그런데 이 생각은 틀렸어요. 상위 20%만 남겨두고 나머지 사람들을 다 해고하면 무슨 일이 벌어지냐면, 남은 사람들이 다시 20:80 으로 나뉘어요. 효율이 좋았던 사람들끼리 모으면, 그 모임안에서 80%는 효율이 떨어지는 사람으로 변한다는 것이에요. 마찬가지로 효율이 안 좋았던 80%를 배타적인 곳에 분리하면 그들 중 20%는 효율이 좋은 사람으로 바뀌어요. 참 신기하죠?

이것은 집단으로 이루어진 모든 곳에서 적용이 되는 법칙이에요. 심지어 미물인 개미도 이 법칙을 따르는데요. 어떤 한 곤충학자가 발견한 사실인데, 개미들 중에서 일하는 개미는 20% 정도밖에 되지 않는데요. 나머지 80%는 제대로 일하지 않는 것이죠. 그래서 일하는 개미 20%만 따로 떼어 무리를 만들어 놨는데, 그 20%의 20%만 열심히 일한다고 해요.

빙빙 돌려서 말한 것 같아서 죄송해요. 결론을 말씀드릴 게요. 인풋과 아웃풋,

사회를 구성하는 대부분이 이 법칙뿐만 아니라 우리의 대화 역시 이 법칙을 따르고 있어요.

　　　　최부장: 대화에서도 이 법칙이 작요을 한다고? 무슨 소리야?

대화의 인풋과 아웃풋도 동일하다는 거에요. 바이어를 미소 짓게 하는 유머는 전체 대화중 20%도 차지하지 않아요. 나머지 80%의 대화 혹은 교류는 바이어를 기분 나쁘게만 하지 않으면 되는 것이죠.

　　　　최부장: 오 그거 참 반가운 소리네. 그러니까 대화의 80%는 무미건조한 정보교류여도 괜찮다는 뜻이지?

그렇게 이해 하시면 안돼요. 80%는 무의미하다고 치부하시면 앞서 말씀드린 멍청한 회사와 똑같이 생각하는 것이에요. 똑똑한 생각은 이렇게 생각하는 것이에요. "20%의 유머를 위해서 80%의 대화를 채워야 한다." 20%의 유머를 신경 쓴다고 나머지 80%를 버리면 안 된다는 말이기도 하구요. 많은 사람들이 잘못 생각하는 부분. 20%만 효율이 좋으니까 나머지 80%는 생각을 안 하거나 무용하다고 치부하는 것이죠.

만약에 80%를 무용하다고 치부해 버리고 20%만 남기면 무슨 일이 벌어지는지 말씀드렸죠? 그 20%에서 다시 20%만 효율을 그대로 유지하고 대부분의 것은 효율이 없는 상태로 흘러가요. 때문에 바이어에게 미소를 짓게 만들고 싶다. 그러면 대화의 80%를 아무런 생각 없이 버리면 안 되요. 오히려 대화의 절대량 자체를 늘려서 20%의 기회가 계속 생기도록 만들어야해요.

최부장: 아니 영어로 유머를 구사하려면, 그럼 영어 회화 자체를 잘 해야 된다는 것이잖아?

네 맞아요. 상대방을 기분 좋게 만드는 것은 이 80%의 준비를 얼마나 잘 하느냐에 달려 있어요. 김부장님이 특별한 것이 없다고 하셨죠? 특별하지 않게 바이어와 대화할 수 있는 능력. 대화의 20%를 특별하게 만드는 것이 아니라 80%의 양을 늘려서 유머할 수 있는 기회 자체를 늘리는 능력. 그것이 바로 김부장님이 가지고 있는 무기. 바이어에게 유머를 구사하는 김부장님만의 비결이에요.

최부장: 나 안 할래. 싫어. 힘들어. 이거 갑자기 난이도가 엄청 올라가잖아. 처음에는 뭐? 바이어를 미소 짓게 할 확률은 50%라고? 에라이. 이런 말을 하지를 말던가. 괜히 할 수 있겠다 희망만 주는 고문 아니야 이거. 영어로 대화를 어떻게 하란 말이야. 이거 너무 어렵잖아!

어머나, 최부장님. 이러시면 안 돼요. 미소 짓게 할 확률이 50%라고 했지, 50%의 확률이 쉽다고 말하지는 않았잖아요. 그냥 바이어와 대화를 하는 것, 그것은 어렵지 않잖아요.

최부장: 아니 그래도. 내가 바이어랑 영어로 어떻게 대화를 하냐고

그럼 최부장님 아까 했던 말 기억 나세요?

최부장: 어떤 말?

김부장님에 대해서 최부장님이 했던 말이요. "아냐, 김부장 별 것 없어. 개도 나랑 똑같이 한국에서 대학 나왔어. 대학이 좋은 것도 아냐. 인서울도 겨우 했거든. 그런데 희한하게 이 녀석이랑 미팅만 하면 바이어들이 딜을 준다고. 도대체 왜 그러는 거야? 진짜 뭐 특별한 것도 없는데 말야."

최부장님이 최부장님 입으로 직접 하신 말이잖아요. 김부장님이 별 것 없다구요. 최부장님이랑 똑같이 한국에서 대학을 나왔구요. 인서울도 겨우 했다는 그 김부장님. 미팅하면서 특별하게 말재주도 없고, 그냥 바이어와 대화를 하는 김부장님. 김부장님에 대해서 그렇게 말씀하셨잖아요.

바이어를 미소 짓게 만드는 유머는 특별함에서 나오는 것이 아니에요. 평범한 대화에서 나오는 것이에요. 김부장님의 가장 강력한 무기. 그것은 바로 특별하지 않게 평범한 대화를 이끌어 간다는 것이에요. 그 평범한

대화가 양이 늘어나면 저절로 바이어가 미소를 짓게 되는 것이구요. 물론 이 대화에서 몇 가지 준비한 것들을 더한다면 더 쉽고 빠르게 바이어에게 좋은 감정을 전달할 수 있겠죠?

결론은, 바이어를 미소 짓게 하는 유머의 80%는 "평범한 대화"라는 것. 평범한 대화. 우리가 일상생활에서 서로 주고받는 대화. 특별한 감정 없이, 하지만 상대방을 생각해주는 대화. 펀치라인이 가득한 개그는 아니더라도, 상대방이 배려 받고 있다는 것을 느낄 수 있는 대화. 웃기지는 않아도 기분은 좋은 대화. 그 아주 일반적인 대화가 바이어를 미소 짓게 만든다는 것이에요.

또 하나 바이어외의 대화에서 잊시 말아야 할 것. 그것은 "질은 양에서 나온다." 는 사실이에요. 질 좋은 무언가를 얻기 위해서는 양을 늘려야 해요. 좋은 질의 결과물을 얻기 위해서 양을 줄이면 질도 나빠져요. 웃음만 주려고 대화의 양을 줄이면 웃음도 줄어버리는 것이죠.

김부장님이 영어로 대화하는 것을 들어보면 더 이해하기 쉬울 것이에요. 김부장님이 바이어와 이야기할 때, 평범한 대화에 집중하시거든요. 이것을 잊으시면 안 되요. 질은 양에서 나온다는 말을 대화에 적용하면, 이렇게 됩니다. "20%의 유머는 80%의 평범한 대화에서 나온다."

그러니까, 지금부터 최부장님이 가져야 할 질문은 이것이에요. '80%의 평범한 대화를 어떻게 준비해야 하느냐?' 어떻게 보면 영어 회화를 어떻게 해야지 잘하냐? 이렇게 묻는 것과 같은데요. 평범하다고 하는 것이 절대 쉽지 않고, 그래서 더 매력적인 대화, 제가 도와 드릴게요. 다음 장으로 빨리 넘어가시죠.

2장.

최부장님은 모르는
김부장님의 영어유머 비결

" 평범하지만 매력적인 대화 :목표설정 "

상대방과 이야기를 어떻게 풀어가야 할까요? 한국인도 아니고 외국인과 대화를 해야 하는데, 도대체 무슨 이야기를 해야 할까요? 걱정부터 든다면, 그것은 아마 대화를 준비하지 않았기 때문일 것이에요.

제가 해외 상장기업 사업개발부 과장으로 일할 때였는데요. 고객사와 만나는데 어떤 이야기를 해야 할지 모르겠는 것 있죠. 어디부터 시작해야 할지, 무엇을 말해야 할지, 도저히 감이 안 잡히더라구요. 특히 외국에서 외국인인 고객을 만난다고 생각해보세요. 얼마나 갑갑했겠어요. 그 모임에 한국인은 저 혼자인데, 외국인들 사이에서 어떤 미팅을 어떻게 끌어낼 지. 답답하더라구요.

그러니까 고객과 하는 미팅이 싫어졌어요. 내가 눈을 어디다 두어야 하나. 지금 나는 무엇을 위해 여기서 있는 것인가… 그렇게 한 번 두 번, 고객사와 미팅을 하면서 이것을 알았어요. 평범하게 대화를 주고받는다는 것은 엄청나게 힘들다는 것이에요.

어려운 대화도 아니고, 복잡한 이야기를 원하는 것도 아니고, 그냥 평범한 대화를 하겠다고 하는 것인데, 왜 그렇게 힘들었을까요? 그렇게 생각을 하다 보니 어떤 결론에 도달하게 되더라고요. 무엇이냐면, 제가 준비한 대화에서 "목표" 가 없다는 것이에요.

처음에 제가 한 목표는 '평범한 대화를 하자' 였거든요. 그런데 이 목표는 잘못 설정한 것이에요. 무엇을 대화할지 정하지 않으면, 대화는 이루어지지 않더라구요. 내가 목적 없이 이야기하면, 이것은 대화가 아니라 만담이에요. 제가 아무리 영어를 화려하게 구사하고 베트남어 통역을 재빠르게 해낸다 하더라도, 만담으로는 원하는 것을 얻을 수 없었어요. "대화를 위한 대화" 이것이 주는 공허함. 그리고 견딜 수 없는 지루함. 저와 처음 미팅을 했던 고객사들도 그런 느낌을 받지 않았을까 해요.

그래서 저는 '대화의 목표'를 재설정했어요. 물론 최종목표는 계약의 클로징이에요. 그런데 그 클로징을 위해서 거쳐야 할 중간 단계들이 있잖아요? 그 중간 단계에 고객대응과 고객만족이 있잖아요. 그래서 생각을 했죠. '고객을 기분 좋게 만들자.'

클로징은 내가 조절할 수 있는 영역이 아니지만, 고객의 기분을 좋게 만드는 것은 내가 충분히 조절할 수 있는 영역이다. 고객의 기분을 좋게 만든다는 것이 클로징과 인과관계가 없겠지만, 분명한 상관관계가 있다. 이렇게 목표를 조정하면 다 해결될 것 같은데 여기서 해결해야 할 또 다른 문제가 있었어요.

클로징은 계약과 관련된 객관적인 결과인데, '고객의 기분'이라는 것은 수치화 할 수 없는 주관적인 감정이라는 점이에요. 주관적인 감정이기 때문에 나의 입장에서 접근하면 안 된다는 것인데요. 제가 어린 조카와 있었던 일을 말씀드릴게요.

제 조카가 우유를 너무 좋아하는 거에요. 참 기특하죠. 남들은 잘 먹지 않아서 고생한다는데 조카는 그런 걱정을 할 필요가 없었어요. 왜 인지는 모르겠지만 고소한 맛이 좋다면서 영양을 챙기는데, 조카가 큰 사고를 친 적이 있어요. 어항 속에 있는 금붕어한테 자신이 좋아하는 우유를 준거에요.

조카는 몰랐던 것이에요. 자기가 좋아하는 우유가 어패류한테는 독이 될 수 있다는 것을요. 사람한테는 맛도 좋고 건강에도 좋으니까 자기가 좋아하는 금붕어에게 나눠 주고 싶었데요. 금붕어에게 나쁠 것이 하나도 없다고 생각했다는데요. 한참을 잘못 생각한 것이죠.

그런데 제 조카만 이런 실수를 벌일까요? 아니에요. 우리 모두는 이런 비슷한 실수를 저지를 수 있어요. 특히 남이 우리와 다르다는 것을 민감하게 생각하지 않을수록 더 그래요. 나에게 좋은 것을 고객에게 준다는 것은 고객을 말려 죽이겠다는 뜻이에요. 그러니까 고객에 대해 질문이 나오더라구요. 내가 좋은 것, 내가 좋아하는 것, 내가 주고 싶은 것이 아니라, 고객이 좋은 것, 고객이 좋아하는 것, 고객이 받고 싶은 것은 무엇일까 고민했어요.

정말 다행인 것은, 금붕어는 의사소통이 불가능 하지만, 고객은 의사소통이 가능하잖아요. 어패류는 말할 수 없지만, 바이어는 말할 수 있어요. 바이어를 기분 좋게 만드는 유머 대화는, 이런 기본적인 정보들을 알아가는 것에서 시작해요. 고객을 파악할 수 일반적인 정보들이요. 중립적이면서도 민감하지 않은 정보, 그러면서 물어봐 준다면 기분이 좋을 것 같은 질문들. 이런 질문들을 많이 준비할수록 대화의 양을 늘릴 수 있어요.

사람들이 이런 말을 하잖아요. '사석에서 절대하면 안 되는 말이 있는데, 그것은 바로 종교와 정치에 관한 이야기이다.' 그런데 저는 반대의 것을 생각해봤어요. 그러면 사석에서 할 수 있는 말은 무엇일까요? 민감한 주제를 벗어나서 만국공통적으로 쉽게 하는 대화주제는 무엇일까요? 이 대답이 바이어와의 대화를 매끄럽게 만들어줄 수 있는 핵심이에요.

그 대화주제는 인간이라면 기본적으로 고민하는 것들이었어요. 입고, 먹고, 자는 것. 우리는 이것을 "의.식.주."라고 부르잖아요. 인간의 기본 욕구이면서 동시에 인간이 기본적으로 반드시 해결해야 하는 것들. 거기에 조금 더 나아가면 기본 욕구를 넘어서 흥미욕구들. 바로 취미생활이죠. 바이어의 기본적인 호불호에 대한 질문을 하면 돼요. 이것을 정리하면 아래와 같아요.

> "한국에 처음 오시는 것인가요?"
>
> "식사하기 불편하지 않으세요?"
>
> "지금 숙소는 어디로 잡으셨어요?"

이것은 상황에 따라서 조금씩 바뀔 수 있어요. 한국이 아니라 서울, 대전, 부산 이렇게 바꿔서 질문하셔도 돼요. 식사에 대한 것은 한국의 식문화에 대해서 이야기를 풀면 좋아요. 숙소에 대해서 물은 것은 바이어의 동선을 가늠하기 위한 질문이에요. 위 3 가지 질문은 다 다른 질문처럼 보이지만 결국에는 의식주에요.

이 의식주 질문들을 얼마나 쎈쓰있게 하느냐에 따라서 바이어가 기분이 좋을 수 있어요. 왜냐면 최부장님이 바이어를 얼마나 신경을 쓰고 관심을 갖고 있는지 어필할 수 있는 질문이잖아요.

그래서 저는 보통 미팅의 본론에 들어가기 전에 고객분들의 의식주에 대한 질문을 던졌어요. 그런데 그냥 의식주에 대해서 질문하라고 하면 이것을 어떻게 실제적으로 적용하는지 감이 안 잡히잖아요? 그런 최부장님을 위해서 한 가지 팁을 더 드릴게요.

의식주는 옳고/그름이 없는 문제에요. 다시 말하자면 호불호의 문제라는 것이에요. 때문에 각각의 의식주에 대해서 호불호를 물어보면 돼요. 예시를 드릴게요.

- 음식

    호) 어떤 음식을 좋아하세요?

    호) 한국 음식이 입맛에 맞으시나요?

    호) 출장 와서 어떤 것 드셔보셨나요?

    불호) 못 드시는 음식물이 있으신가요?

- 의상

    호) 한국 여름이 좀 많이 덥죠? 시원한 물 준비했습니다

    호) 넥타이가 정말 멋지시네요. 선물 받으신 건가요?

- 주

    호) 한국에 얼마나 머물러 있으세요?

    호) 숙소는 어디로 잡으셨나요?

    불호) 교통이 불편하지는 않으신가요?

이것 외에 기타의 질문들이 있어요. 민감한 사항은 아니지만 미팅하는 입장의 고객에게는 관심사일 수 있는 것들이 그런 것들인데요. 이것은 최부장님이 외국에 협력사를 방문했다고 가정하고 생각하면 쉽게 나와요. 출장이 끝나고 본국으로 돌아갈 때 챙기는 것들이요. 저는 보통 '선물'에 관해서 이야기를 나눴어요. 고객의 입장에서는 해당 지역을 출장을 온 것이지만 동시에 여행을 왔다는 기분이 들도록요.

제가 베트남에서 일할 때는 이런 것들을 꼭 말했어요. 주말에 시내를 둘러본다면, 혹은 쉬고 싶다면 들를 만한 까페와 음식점, 해외의 느낌이 나는 기념품. 이런 것들에 대해서 말을 나눴어요. 한국에 방문한 바이어에게 이런 것들을 알려주면 좋은 정보가 될 수 있어요. 특히 바이어가 주말을 끼고 오는 것이라면 주말에 특별한 계획이 있는지 물어보고 적절한 장소와 이벤트들을 추천하면 더할 나위 없이 좋겠죠?

이번 장에서는 줄기와 뼈대를 잡은 것이에요. 바이어와의 대화는 어떤 흐름으로 이루어져야 하고, 이것을 어떻게 이어가는지에 관한 줄기요. 이 줄기에서 어떤 열매를 맺어야 하는지, 그리고 그 열매들이 어떤 조화를 이루어야 더 풍성하고 다채로운 맛을 낼 수 있는지는 다음 장에서 알려 드릴게요.

2장.

최부장님은 모르는
김부장님의 영어유머 비결

" 평범하지만 매력적인 대화 :
3가지 중심 + 6가지 질문 1 "

최부장님 혹시 이런 것 느낀 적 있지 않은 가요? 똑 같은 이야기인데 어떤 사람이 하면 재미있고 다른 사람이 하면 재미없는 경우요. 참 신기하죠? 별 다를 것 없는 내용인데, 사람에 따라서 내용이 재미가 있었다 가도 없어지고, 없었다 가도 생기는 현상.

이것을 똑같은데 다르다고 생각하면 이상하게 보일 수 있지만, 조금만 더 생각해보면 당연한 이야기에요. 똑 같은 밥을 먹는다고 해도 매력적인 이성과 같이 밥을 먹으면 더 맛있고 즐겁잖아요. 그런데 옆 부서 김부장님이랑 같이 점심식사를 한다고 생각해보세요. 생각만해도 밥맛이 뚝 떨어지죠? 아무 말없이 아주 빠르게 밥만 먹고 일어날 것이잖아요. 우리는 이것을 "메시지보다 메신저가 중요하다"고 표현해요. 무엇을 말하느냐 보다 누가 말하느냐가 더 중요하다는 것이죠.

그래서 세상은 참 불공평한 것 같아요. 똑 같은 까페 알바를 한다고 해도 키 크고 잘 생긴 어린 놈이 알바를 하면 시급을 높게 주고, 저희 같은 나이 먹고 피부가 칙칙한 아저씨가 알바를 하면 최저시급을 주잖아요. 우리가 던지는 메시지보다 우리 자신인 메신저가 더 중요하다는 것. 그것이 세상을 참 불공평하게 만들어요.

그런데 우리가 불평만 하고 앉아 있을 수는 없잖아요? 우리가 가진 현재 상황에서 최고의 효율을 만들어 내야죠. 호박에 줄 긋는다고 수박이 되지는 않아도, 호박에 구멍을 내면, 할로윈 파티를 할 수는 있어요. 수박이 아니라고 떼쓰는 것이 아니라 지금 있는 모습에서 조금이라도 더 매력적으로 만드는 방법을 계속해서 생각해야 해요.

저는 이것을 대화와 유머에서 찾았어요. 사람들이 하는 말을 들어보면 누군가는 듣는 사람을 짜증나게 하고, 누군가는 듣는 사람을 편하게 만들거든요. 비즈니스 상황에서는 더욱 더 그래요. 시간과 돈 싸움을 하는 곳이라서 서로 날카롭게 곤두선 상태니까요. 이때 어떤 말이 짜증나게 하고 어떤 기분 좋게 만드는가? 그것은 6 가지 기준을 충족하느냐 못 하느냐 달렸어요.

우리가 초등학생 때부터 배웠던 대화의 6 가지 기준, 6 하 원칙이죠. 누가, 언제, 어디서, 무엇을, 왜, 어떻게. 이 6 가지를 전부 전달했는가? 여기서 소통의 원칙이 갈리죠. 그리고 이것을 알고 있으면 대화를 조절할 수 있게 돼요. 보통 사람들이 이 6 하원칙을 지켜가면서 말하지 않거든요. 대화를 하면 보통 한 두가지가 생략되기 마련이 에요. 그런데 이것을 많이 생략하면 의사소통이 안 되고 듣는 사람을 짜증나게 만들죠.

물론 반대의 예도 있어요. 의도적으로 말하고 있지 않는 것인데요. 그것은 상대방의 호기심을 증폭시키기 위해서 몇 가지를 생략하고 말하는 것이에요. 호기심을 증폭시킨다는 것, 결국 여기서 유머가 발생해요. 이렇게 원론만 들으면 이해하기 힘드니까 이야기 하나를 드릴 게요.

월요일 아침이 밝았다.

어느 때와 같이 일상생활이 시작되는 것이다.

"아들~ 어서 일어나. 밥 먹어야지."

"엄마, 5분만~"

이렇게 5분씩 3번이 흘렀다.

"어휴. 일어나 학교 가야지"

엄마는 침대에서 일어나지 않는 아들을 보며 한숨을 쉬었다.

"엄마, 학교 가기 싫어, 애들도 나를 싫어 한단 말이야."

엄마는 고개를 푹 숙이더니 말을 이어갔다.

"그래도 네가 선생인데, 네가 학교를 안 가면 어떻게 하니"

옛날에 정말 유명했던 유머 이야기 중 하니 에요. 엄마가 아들 학교 가는 것을 신경 쓰는 내용. 그래서 아들이 당연히 학생일 것이고, 다른 학생들이 자신을 싫어한다는 말에서 따돌림을 당하는 아이처럼 보여요. 그런데 알고 보니 학생들이 아들을 싫어 했던 이유는 아들이 선생님이었기 때문에 싫어하는 것이었어요.

이 이야기의 반전은 6하원칙 중 첫 번째 원칙을 의도적으로 숨긴 데에 숨어 있어요. 누가 이런 일을 하는 것인지 말하지 않은 상태로, 읽는 사람이 상상하게 만들었잖아요. 언제, 어디서, 무엇을 이라는 내용들은 상황에서 드러나요. 월요일 아침에, 아들의 침상에서, 출근이라는 요소들이 명확하게 나오잖아요.

이 이야기는 '누가' 라는 요소를 의도적으로 숨겼다는 점에서 유머가 발생한 것인데요. 이렇게 숨겨서 발생하는 유머가 있고, 숨기지 않아서 발생하는 유머가 있어요. 6 가지 요소 중 무엇을 숨기고 무엇을 강조할 것인가, 그리고 이것을 상대방에게 어떻게 전달할 것인가? 이런 것들을 고민하면 상당히 난이도가 올라가요.

제가 바이어와 대화를 할 때는 이 6 가지 요소를 철저하게 다 드러냈어요. 반대로 바이어가 하는 말을 들을 때는 이 6 가지 요소 중에서 빠진 것이 있는지 세심하게 들었어요. 이렇게 대화를 하면 어떤 효과가 생기는지 아시나요?

호기심과 궁금증을 유발하지 않아서 개그를 할 기회는 사라져요. 반면에 진솔한 대화를 나눌 수 있어요. 숨김 없이 나의 것을 드러내는 것이고 반대로 세밀하게 바이어를 신경 쓸 수 있게 되는 것이죠. 바이어가 하는 이야기를 듣고 있다가 빠진 내용들을 하나씩 물으면, 바이어도 기분이 좋아요. 왜냐면 자신의 말을 잘 듣고 있을 뿐 아니라, 자신에게 관심을 주고 있다는 것을 알게 되니까요.

바이어가 이야기할 때는 그 이야기를 들어주세요. 그리고 그 이야기에 누락이 된 6 하원칙을 적절히 질문해주세요. 그 일상의 대화를 시간 때우기 용으로 생각하거나, 빨리 지나가라고 속을 외치고 계시면, 바이어도 똑 같은 생각을 하게 돼요. '눈 앞의 녀석이 빨리 사라져 버렸으면 좋겠다. 어색해서 이야기를 나눴는데, 귓등으로 듣는 구만.' 이런 식으로 말이 에요.

유머대화라는 것은 상대방이 하고 싶은 말을 하고, 나도 내가 하고 싶은 말을 하는 것이 아니에요. 상대방이 하고 있는 말에서 더 끄집어 내고, 상대방이 더 말하고 싶게 만들어야 해요. 그렇게 말하는 것은 이 6 가지 기준을 세심하게 생각하고 질문을 던지는 것이죠.

다만 여기서 주의할 점이 있어요. 이것을 꼬치꼬치 캐물으면 안 돼요. 이것이 참 힘든 일인데요. 누가, 언제, 어디서, 무엇을, 왜, 어떻게 했는지 자세하게 물으면, 이것이 심문하는 것인지, 자신의 말을 믿지 못 해서 하는 것인지 불쾌 할 수 있어요. 그 정도를 찾는 것이 참 중요해요.

너무 가리면, 정보가 불투명해서 호기심과 궁금증 혹은 짜증이 나지만, 반대로 너무 밝히려고 하면 명쾌함이 생기지만 추궁한다는 불쾌함이 생길 수 있어요. 무조건 한 쪽 방면으로만 생각해서 대화를 이끌어 나가려고 하면 안 되고, 그 상황에 맞춰서 작은 스텝을 걸어 나가시는 것이 중요해요.

그러잖아요. 청문회 하는 것도 아닌데, '몇 월, 몇 일, 몇 시에, 어디서, 누가 한 것인데?' 이렇게 물으면 죄인을 추궁하듯이 혹은 잘못 있는 것의 시시비비를 가리겠다는 어투로 들리니까요. 이 선을 조절하는 것이 대화의 기술이고, 상대방의 기분을 좋게 만드는 유머 구사 에요.

앞에서는 6 하 원칙 중에서 한 가지 요소를 가렸을 때 유머를 발휘하는 상황을 소개해 드렸는데요, 반대로 한 가지 요소를 가렸을 때 짜증이 나는 상황도 설명해 드릴 게요. 누가, 언제, 어디서, 무엇을, 어떻게, 왜 라는 규칙을 다 지켰음에도 불구하고 명쾌하게 밝히지 않았을 경우 상대방이 짜증을 내는 상황이 있어요. 예전에 제 친구가 저에게 이런 질문을 한 적이 있었거든요.

"그 아저씨가 누구를 소개 시켜 준데?"

저는 이 말을 듣고 무슨 소린지 몰랐어요. 그래서 되물었거든요.

"아저씨라니?"

"아니, 어제 만난 아저씨."

"어제 만난 아저씨라고? 그게 누군데?"

"야 너가 어제 만난 아저씨라고 하면 여러 명이냐? 누구를 말 하겠어?"

제 친구는 제 과외를 받는 사람을 두고 하는 말이었는데요. 저는 도저히 알 수가 없었어요. 왜냐면 어제 만난 아저씨라는 이 개념 안에, 저는 정말 수많은 레이어가 있었고 제가 가르치는 사람을 '아저씨' 라고 부르지도 않기 때문이에요. 저는 나이가 많은 사람도 '멘티님' 이라고 부르고, 나이가 어린 사람도 '멘티님' 이라고 부르거든요. 물론 친한 친구와의 대화에서 다른 명칭을 쓸 때도 있기는 하지만, 저의 개념에서 제 지도를 받고 있는 나보다 나이 많은 사람은 '아저씨' 일 수가 없었어요. 그런데 이 대화를 하면서 이 친구가 그러더라구요.

"너 랑은 말이 안 통한다. 쫌 한 번 말하면 알아들이라. 너와 나 사이에 아저씨라고 하면 누구를 말하는 거겠어?"

이 말을 듣는데 정말 당황스럽더라구요. 그리고 내가 잘못한 것인지 다시 한 번 되돌아보게 했는데요. 아무리 생각을 다시 해 봐도 이것은 제 잘못이 아닌 것 같았어요. 그리고 사실 이렇게 스무고개를 하면서 저도 짜증이 났어요. 내 친구한테 그 나이 많은 사람은 '아저씨' 일 수 있지만, 저에게 있어서는 아니잖아요. 제가 그 친구한테 그 멘티에 대해서 이야기를 하긴 했지만, 그 멘티님을 '아저씨' 라는 레이블로 단편화 할 줄 어떻게 알았겠어요? 덕분에 이 대화는 서로 짜증나는 대화로 마쳤어요.

보시면 아시겠지만, 대화하는 상대방이 자신은 6 하원칙을 지켰다고 주장하고 '누구' 인지 충분히 밝혔다고 할 수 있지만, 받아들이는 사람에 따라서는 그것이 '충분히' 가 아닐 수 있어요. 그리고 이렇게 명쾌하지 않은 경우에 서로 짜증이 나고 대화가 어그러지는 결과를 초래할 수도 있고요.

바이어와 대화에서 가장 중요한 것, 그것은 미소를 짓게 만들겠다는 목표보다, 얼굴을 찡그리지 않게 하겠다. 이것이 에요. 6 하원칙을 적재적소에 던지고 질문하면서 명쾌하게 밝히지만, 그렇다고 너무 추적하듯이 묻지 않는다면, 분명히 바이어는 대화를 하면서 최부장님에게 미소를 지어드릴 것이에요.

2장.

최부장님은 모르는
김부장님의 영어유머 비결

" 평범하지만 매력적인 대화 :
　　3가지 중심 + 6가지 질문 2 "

최부장님. 6 하 원칙을 전부 지킨다고 해서 감흥이 떨어지지는 것이 아니에요. 굳이 정보를 숨겨서 흥미를 올리는 것도 아니구요. 비즈니스 상황에서는 오히려 명쾌하게 말해주는 것이 좋아요. 그런데 명쾌하게 말하는 것이 동일한데도 불구하고 누군가의 말은 지루하고 또 누군가의 말은 이상하게 귀가 끌려요.

이것은 제가 발견한 법칙은 아니지만, 인사이트 넘치는 이야기여서 소개해 드릴게요. 세계적인 소통 전문가, 사이먼 시넥이라는 사람이 "왜로부터 시작해라" 라는 책에 있는 내용이에요. 이 책에서는 메시지를 전달할 때 3 가지 기준점을 제공해요. 똑 같은 말이더라도 어떤 순서로 전달하느냐에 따라서 메시지가 매력적이냐 지루해지냐를 결정한다고 하거든요.

저자는 이 법칙을 골든서클(golden circle) 법칙이라고 부르는데요. Why -> How -> What 의 순서로 이야기를 할 때, 사람들은 매력을 느낀 데요. 그런데 일반인들은 대화를 할 때 이것의 반대 순서인 What -> How -> Why 순서를 따른데요. 그래서 흥미를 유발하지도 않고 사람들의 관심도 받을 수 없다고 하는데요.

사이먼 시넥이 들었던 가장 대표적인 예로는 '애플'의 스토리텔링 방식이에요. 애플은 언제나 why 를 먼저 말하고 가장 마지막에 what 을 던진다는 데요. 이런 식이죠.

Why: "우리가 하는 모든 것들, 우리는 기존의 현상에 도전하고, 다르게 생각한다는 것을 믿습니다."

How: 기존의 현상에 도전하는 우리의 방식은 제품을 아름답게 디자인하며, 간단히 사용할 수 있고, 편리하게 만드는 것입니다.

What: 아주 훌륭한 스마트폰과 아름다운 애플 pc 가 여기 있습니다. 구입하실래요?

이 순서를 거꾸로 하면, 일반적으로 사람들이 말하는 소통 방식이에요. 보통의 대화는 정확이 이 반대로 이루어진다고 해요

What: 여기 아주 훌륭한 스카트폰과 아름다운 애플 PC 가 있습니다.

How: 기존의 것들과 다른 디자인이며, 사용자들이 이용하기 편하고, 개혁적입니다

Why: 우리는 기존의 현상에 도전하고, 다르게 생각하는 것을 믿기 때문입니다.

이상하게도 하는 말이 똑같은데, 첫 번째 순서대로 말하면 매력적으로

느껴지고, 두 번째 순서대로 이야기하면 뭔가 지루해요. 저와 같이 느끼지 않는 분이 있을 수도 있어요. 그렇다면 그냥 외우시는 것을 추천 드려요. 언제나 "왜"라는 것을 먼저 말해야 하고, 그것을 이루기 위해서 "어떤" 것을 했으며, 그것의 결과로 "무엇"이 있는지 말하는 것이에요.

그런데 이 순서와 이야기가 공감이 안 되는 분이 있을 수 있어요. 그런 분들이라면 굳이 이 3가지 기준을 생각하지 않으셔도 돼요. 하지만 만약 이 순서를 지킨다면 고객은 좀 더 흥미를 가지고 관심을 줄 수 있다는 점. 기억하시면 좋을 것 같아요.

> 최부장: 그럼 나도 항상 말을 할 때 "왜"라는 것을 시작으로 말해야 하는 것인가?

아, 그런 것은 아니에요. 일상생활의 대화는 앞서 말씀드렸던 6하원칙을 어떻게 더 명쾌하게 채우는가에 초점이 맞춰져 있어요. 그래서 바이어와 편하게 이야기를 나눌 때 역시 6하원칙에 맞춰서 이야기를 하시면 돼요. 지금 말씀드린 3가지 기준, 골든써클은 난이도가 조금 있기 때문에 염두만 해 두시라고 말씀드린 것이에요.

만약 염두만 해두라고 한다면 최부장님이 허탈하시겠죠? 걱정마세요. 이 책의 3장부터는 영어로 Why -> How -> What 의 흐름을 어떻게 준비하고 말하는지에 대해서 나눌 것이에요.

한 가지 더해드리자면, 여기서 Why 라는 것은 개인이 가친 가치관과 신념을 말해요. 어떤 가치를 던지는 것인데, 이 가치가 뭔가 매력적이고 다르게 느껴진다면 사람들은 그것에 대해서 더 듣기를 원해요.

애플의 말이 그렇잖아요. "우리는 현존하는 모든 평범한 것에 도전한다." 도대체 어떻게 도전하고 무엇을 도전하는지 궁금해지잖아요. 애플이 가진 신념과 가치라는 것이 사람들의 귀를 끌어당긴 것이에요.

이것은 감을 잡기 힘든 부분인데요. 그러시면 외우면 돼요. 이것에 대한 것을 제가 드릴 것이기 때문이에요. 물론 제가 던지는 가치와 말들이 최부장님이 보기에 그렇게 매력적으로 느껴지지 않는다거나, 최부장님의 가치관에 부합하지 않을 수 있어요. 그런 부분은 그냥 스킵하고 다음장으로 넘기시면 돼요.

혹시 이 책의 서문이 기억이 나시나요? 최부장님이 알아차렸을 수도 있지만, 서문이 딱 이 형식을 채용했어요. 하지만 명쾌하게 규격화해서 맞추지는 않았죠. 괜찮으시다면 다시 한 번 서문을 읽고 오는 것을 추천 드려요. 3분 드리겠습니다.

서문을 읽으셨다면 간략하게 추가 설명을 드릴 게요. 서문의 처음은 제가 이 책을 왜 쓰는지에 대해서 말하고 있어요.

Why: 저는, 귀에 걸면 귀걸이 코에 걸면 코걸이가 되는 혼돈의 비즈니스에서 '적절한' 이라는 쎈쓰를 발휘할 수 있다고 믿습니다.

How: 유머를 통해서 가능합니다. 유머라는 내면의 멘토가 최부장님에게 조언하는 형식으로 이루어집니다

What: 그 형식을 완성한 책이 여기 있네요. 제 경험에서 나온 이 이야기를 들어 보시겠습니까?

이 순서를 반대로 했다면, 최부장님은 여기까지 읽지 않았을 것이에요. 왜냐면 순서를 거꾸로 하면 제가 봐도 너무 매력이 없거든요

What: <바이어를 미소 짓게 한 최부장의 영어 유머>라는 책이 있습니다.

How: 유머라는 내면의 멘토가 유머하는 방법을 조언하는 형식입니다.

Why: 귀에 걸면 귀걸이, 코에 걸면 코걸이가 되는 혼돈의 비즈니스에서 '적절한' 이라는 쎈쓰를 발휘할 수 있게 될 것입니다

결국 이 책을 사서 읽으라는 말을 서두에 던지느냐, 아니냐의 차이로 볼 수 있는데요. 사람의 마음을 움직이고 흥미를 자극시킨 다음 구체적인 수치를 던지는 것과, 구체적인 수치를 먼저 던지고 사람의 마음을 움직이려는 것은 다른 이야기에요.

구체적인 수치가 던져진 상태에서는 사람의 마음이 쉽게 움직이지 않잖아요. 추상적인 이야기를 하면 마치 뭔가 있는 것 같고, 추상적이기 때문에 사람이 계속 생각하게 되죠. 그런데 그런 답답함을 구체적인 수치로 결론을 맺었을 때, 통쾌함과 함께 방향성이 하나로 모여 집중하게 돼요.

이제 다음 장부터는 실제 영어 문장들, 사례들을 중심으로 바이어에게 영어유머를 어떻게 구사하는지, 그것을 구사하기 위해서 제가 무엇을 준비하고 어떤 방식으로 이야기를 건넸는지 나눠 드릴게요.

다음 장부터는 가위바위보 게임을 하기 전에, 제가 관찰한 내용은 무엇이었고, 어떨 때 가위를 내고, 어떨 때 바위를 냈는지 정리한 것이에요. 한 가지 아쉬운 점은 가위바위보는 3가지 선택만 있지만, 소통이라는 비즈니스에는 무한대에 가까운 선택지가 있다는 것이에요. 저는 그것을 15가지의 상황으로 정리했어요. 그리고 그것을 각각의 상황에 맞게 던지는 것은 최부장님의 몫이에요. 잠깐, 유머라는 매커니즘을 어떻게 하는지 다시 정리하고 갈게요

1. 유머는 개그가 아니다. 웃기려고 하지 말고 기분 좋게 만들어야 한다.

2. 기분 좋게 만드는 대화의 80%는 일상적인 대화이다

3. 일상적인 대화는 의식주를 기본으로 해서 질문하고 답을 한다

4. 의식주를 기준으로 6가지 기준을 파악한다. - 누가, 언제, 어디서, 무엇을, 어떻게, 왜?

5. 꼬치꼬치 캐묻는 것이 아니라, 상대방에게 관심이 있다는 느낌을 주어야 한다.

6. 일상적인 대화에서 매력적으로 말하는 것은 "Why"를 던지는 것이다

7. 여기서 Why는 질문을 던지는 것이 아니라, 개인의 가치관 혹은 신념을 던지는 것이다.

8. 최부장님이 던진 Why에 바이어가 동의를 하면, 이어서 How와 What을 던진다.

9. 다음 장부터는 Why - How - What을 던지는 실제 사례들이 나온다.

10. 가위바위보 게임은 "계산된" 확률 게임이다. 유머 역시 "계산된" 소통 게임이라는 것을 잊지 않아야 한다. 상대방을 기분 좋게 만들기 위해서는 철저한 계산이 필수다.

3장.

소통의
가위. 바위. 보.

" 공정은 정말 중요한 가치에요 "
- Fairness is important

바이어와 대화를 할 때는 6 하원칙에 따라서 이야기가 잘 흘러가고 있는지를 들어주세요. 빠진 부분이 있다면, 그 부분에 대해서 적절하게 질문을 던져주시구요. 그러다가 바이어가 말이 없어지는 순간이 올 것이에요. 반대로 최부장님이 말을 던져야 할 때가 생기죠. 최고의 상황은 최부장님도 이야기 거리를 많이 준비한 상태에서 바이어와 같이 대화하는 것이에요.

대화의 중심을 바이어에게 두되, 공백이 생길 때 적절히 채울 수 있도록 최부장님만의 비밀 무기들을 '계획적'으로 구비해 두서야 해요. 이번 장에서는 어떤 무기를 어떤 상황에서 구사할 것인지, 제가 정리한 이야기들을 나눠 드릴게요. 순서는 다음과 같아요. 어떤 상황에서, 어떤 이야기가 나왔을 때, 최부장님이 어떤 가치를 던질 것인가? 이후 그 가치에 상응하는 부연설명을 어떻게 할 것인가? 이렇게 생각하시면 돼요. 바로 시작하겠습니다.

"공정은 정말 중요한 가치에요." 이 말을 던져야 할 때, 언제인지 알 수 있겠죠? 바이어가 공정에 관한 말을 했을 때, 던지면 되는 말이에요. 몇 가지 상황을 가정해볼게요.

바이어가 뭔가 부당한 처우를 당했을 때, 무언가를 관리하는 주체인데 공정하지 못한 플레이어를 보았을 때, 혹은 그 외에 불합리한 일을 당했을 때. 바이어는 불편함을 말하면서 자신의 이야기를 풀어낼 거에요.

이런 상황은 정말 언제든지 일어날 수 있어요. 외국인이라는 이유로 공항에서 몇 시간을 더 기다려야 했다. 길가에서 택시를 기다리고 있는데, 내 앞을 한 사람이 가로질러서 택시를 잡고 타고 갔다. 한국말을 할 줄 몰라서 호텔에다가 컴플레인을 했는데, 아무도 받아주지 않고 결국 계속 불편함을 겪었다. 이외에 다양한 상황에서 이러한 상황을 겪을 수 있어요. 그런데 이런 불공평한 상황이 대학생 때 있었던 일이다. 혹은 무언가 교육을 받을 때 평가받는 입장이었다. 그럴 때 쓰면 아주 적절한 Why 는 다음과 같아요.

"저런… 짜증이 났겠네요. 공정은 정말 중요한 가치인데도 불구하고 말이죠. 저도 대학생때 그런 적이 있었는데요."

"That doesn't seem right. Fairness is important, it plays an important role in all our lives. I had a similar experience when I was in college."

바이어가 이 말을 듣고 호응을 하면서 2~3 초 정도 입을 다물면, 최부장님에게 말을 이어가라는 뜻이에요. 최부장님이 바이어의 귀를 끌어당긴 것이죠. 그런데 여기서 그냥 쭈뼛이 면서 딴짓을 하면 안돼요. 이것은 가위바위보를 내지 않고 이기려고 하는 것과 같거든요. 무엇이든 말을 해야 해요. 어떤 것이든 뱉어 내야 하죠. 가위를 내든, 바위를 내든, 보를 내든 뭐든 내야죠. 뭘 내야 할지 모르시겠죠? 그러시면 다음의 말들을 외우세요. 그리고 지르시면 됩니다.

[How]

그거 아세요?

제가 대학생일 때인데요, 정말 예쁜 여자애가 있었어요.

제 전공이 기계공학이었거든요, 그래서 여자가 많지 않았죠

그러니까 여자애는 자기 미모로 득볼 수 있는 것이 많았어요

이것이 진짜 있었던 일인지는 모르겠는데요, 제 친구가 이런 적이 있다고 하더라구요

그 여자애가 글쎄요...그 있잖아요... 적절치 않은...

우리 교수님이 그거 눈치채고 참교육을 해줬지 뭐에요

이야기의 발단은 이래요

그 여자애가 수업 끝나고 교수님 방에 갔더래요

복도를 살펴보고, 교수님 방문을 닫고, 애절하게 무릎을 꿇었죠

그리고

그리고 말하길, "시험에 통과할 수 있으면 뭐든 할게요"

그리고 일어나서 교수님에게 다가갔는데, 그윽하게 뭔가를 요청하듯이 쳐다 봤데요

그리고 그 여자애가 다시 말하는 것이죠

"그러니까요..."

그 다음부터는 속삭여요 "할 수 있다구요... 뭐든..."

교수님이 그 여자애를 보면서 물었데요, "뭐든?"

그러니까 여자애가 소리치는 것이에요, "예, 뭐든!"

여기가 바로 참교육 순간인데요. 교수님이 말하는 것이죠

"좋아요. 지금 당장 가서 시험공부하세요" "그래, 가서 시험 공부하세요!"

You know what?

When I was a college student, there was this beautiful girl.

My major was mechanical engineering so there weren't many girls.

It was so obvious she was using her beauty to her advantage.

I don't think it actually happened but my friends told that there was an incident

She tried something that many would consider⋯improper. Our professor was quick to realize this so I guess you can say he taught her a lesson.

So the story goes like this⋯

She went to the professor's office after class,

She glanced down the hall, closed his door and kneeled pleadingly.

She said, "I would do anything to pass this exam."

She stood up, leaned towards him, and gazed meaningfully into his eyes.

and she went on to say, "I mean⋯"

she whispered, "I would do⋯ anything."

He returned her gaze and replied, "Anything?"

She screamed out, "Yes, anything!"

And here's the funny part: The professor replied:

"Okay, go and study to pass the exam."

이 말을 던질 때 중요한 것은, 내가 던진 Why 를 바이어가 받았을 때 반응이에요. 그 다음 How 와 What 을 말하느냐 마느냐, 그것은 전적으로 최부장님의 쎈쓰에 달렸어요. 지금 이 타이밍에 말을 해도 되는 것인가? 아니면 좀 참아야 하는 것인가?

이것을 알아 차릴 수 있는 것이 바로 '시간'인데요. 최부장님이 Why 를 던지고 나서 바이어가 공감을 한다. 그리고 바로 다른 말을 이어간다. 그러면 최부장님은 다시 바이어의 말을 들어주면서 일상적인 대화를 해주시면 돼요. 바이어의 말에 내가 집중하고 있다. 바이어가 한 말들의 6 가지 상황을(누가, 언제, 어디서, 무엇을, 어떻게, 왜) 내가 계속해서 캐치업 하면서 따라가고 있다. 이것만 성실히 보여주어도 돼요.

다만, 바이어도 항상 말이 많은 것은 아니잖아요. 바이어가 말하면서 한 번 쯤은 최부장님이 받아 치고 최부장님만의 이야기를 하셔야 하잖아요. 그럴 때 이 준비한 것을 말하셔야 해요. 대화를 하는데 한쪽만 이야기하고 다른 쪽은 듣고만 있으면 이상하잖아요.

이것을 준비할 때의 포인트 3 가지가 더 있어요. 첫 번째, 진짜인 정보를 가짜로 말하면 안 된다. 두 번째, 가짜인 정보가 너무 가짜처럼 보이면 안 된다. 세 번째, 최부장님이 먼저 웃어야 한다.

첫 번째, 진짜인 정보를 가짜로 말하면 안 된다. 최부장님의 전공이

기계공학이 아닌데, 기계공학이라고 말하면 안 되잖아요. 예를 들어서 영어영문학이라던가 혹은 미디어학부였다던가, 다를 것이잖아요. 이런 사실 여부를 확인할 수 있는, 최부장님의 정체성과 밀접하게 관련된 부분은 변형을 해야 된다는 점이에요.

두 번째, 가짜인 정보가 너무 가짜처럼 보이면 안 된다. 이 유머는 서양 친구들도 한 번 쯤은 들어봤을 이야기에요. 마치 우리나라로 치면 만득이 씨리즈 혹은 4컷 만화 시리즈처럼 한 번 쯤은 들어봤을 이야기에요. 물론 이 내용을 정확하게 기억하는 사람은 없어요. 그리고 이것이 100% 진짜라고 생각하지도 않아요. 다만, 그랬을 수도 있겠다. 이런 식으로 생각하고 들을 거에요. 그래서 대화 중간중간에도 최부장님의 대사에 그것을 암시하는 말을 넣었어요. "내가 이 말들을 믿지는 않지만, 친구들이 그렇다더라." 이런 식의 말을 넣은 것은 그런 이유 때문이에요. 바이어도 이것이 100% 사실이라고 믿지는 않을 것이에요. 다만 그럴 수도 있다. 그리고 변칙을 원하는 사람은 원칙 앞에서 무력화된다. 이런 가치들을 공감할 것이에요.

마지막으로 최부장님이 먼저 웃어야 해요. 내용이 짧지 않잖아요. 그런데 이 내용을 문장을 읽듯이, 혹은 외운 것을 내뱉듯이 말하면 안 돼요. 문장을 암기하는 것에서 멈추는 것이 아니라, 실제로 말을 내뱉으면서 연습을 해야 해요. 거울을 보고 연습을 하든 혹은 녹음기를 켜고 연습을 하든. 어떻게든 자연스럽게 말하는 최부장님을 미리 만들어 놓아야 해요. 가위바위보 셋 중 하나를 내야 하는데, 손가락 3개를 펴고 2개를 접은 상태로 내거나 혹은 4개를 펴고 1개를 접은 손을 내면 안 되잖아요. 이것은 가위도 아니요, 보자기도 아니요, 주먹도 아닌 셈이니까요. 이런 어정쩡한 손을 내밀면 상대방은 불쾌해해요. 가위바위보 내는 연습을 하듯이, 이 영어와 유머도 수없이 연습을 해야 해요.

가위바위보는 타이밍의 게임이잖아요. 하나둘셋 하고 내밀었을 때, 동시에 내밀어야 하는데, 내가 늦게 내면 상대방이 화를 내잖아요. 소통과 유머 그리고 대화도 마찬가지에요. 그 타이밍에 적절하게 제대로 된 말을 내뱉지 않으면, 상대방이 유쾌하지 않아요.

> 최부장: 아니 그러면, 타이밍을 못 맞추면 상대방이 불쾌할 수 있다는 것이잖아?

최부장님, 가위바위보 게임을 할 때 가장 불쾌한 상황이 뭔지 아세요?

> 최부장: 뭔데?

나는 계속해서 가위바위보를 내는데 상대방은 계속 아무것도 내지 않고 눈치만 보는 거에요. 시간은 질질 끌리고, 승부는 나지 않고, 나만 가위바위보에 정신 팔린 놈처럼 보이는 것. 그게 최악이에요. 타이밍이 맞는다면 제일 좋은 것이지만, 그 다음 베스트는 타이밍이 조금 맞지 않는다고 하더라도 일단 내는 거에요. 엉거주춤 내도 결론적으로 내면, 상대방이랑 대화하고 있는 것이잖아요. 일단 내세요!

3장.

소통의
가위. 바위. 보.

" 남자들끼리만 통하는 것이 있죠.”
- **That is why we should be part of a Brotherhood**

원색적인 것이 잘 통할 때가 있죠. 아주 오래된 주제인데, 대화를 하면 한 번 쯤은 꼭 말하는 내용중 하나에요. 바로 "남성 vs 여성" 남자와 여자는 다르다는 내용은 시대와 장소를 막론하고 어디든 통하는 말이에요. 그리고 신기하게도 한국이든 미국이든 유럽이든 다 비슷한 경향을 가지고 있어요. 오죽하면 남자는 화성에서 여자는 금성에서 왔다는 책이 전세계 베스트셀러가 됐겠어요?

바이어와 이야기를 할 때, 남자와 여자의 차이에 대해서 말이 나온다. 혹은 결혼 이야기를 나눈다. 남자 바이어가 와이프에게 거짓말을 했다거나 혹은 잘못을 했는데 걸렸다. 이런 상황에서 쓸 수 있는 영어 유머가 하나 있어요. 처음 시작은 "That is why we should be part of a Brotherhood"에요.

언제나 항상 가치를 먼저 던져야 해요. 원래 직역하면, '그래서 남자들끼리는 서로 도와줘야 합니다. 우리 남자들끼리 통하니까요.' 이런 식으로 이해할 수 있는데요. 보시면 알겠지만, 남자들끼리는 서로 보호를 해준다는 내용이에요. 이 말을 듣고 바이어의 얼굴에 "Why"라는 질문이 떠오른다. 혹은 수긍하면서 2~3초 정도 입을 다문다. 그럴 때는 지체하지 말고 다음과 같이 이야기를 리드해주세요.

[How]

제 한국인 친구가 말해준 이야기인데요

남자와 여자는 다르다는 것이에요

제가 들어보니가 완전 맞는 말이더라구요

들어보세요

어느 날 아내가 집에 들어오지 않은 것이에요

다음 날 아내가 남편에게 말하길, 가장 친한 친구 집에서 잤다고해요

그래서 남편은 아내의 가장 친한 친구 10명한테 전화를 했는데요

아무도 그런 일이 없다는 것이에요

그리고 나중에, 그 남편도 집에 들어오지 않은 날이었어요, 아내와 상황이 똑같죠

다음 날, 아내가 했던 것처럼, 남편이 말하는 것이에요. 가장 친한 친구 집에서 어제 잠을 잤다구요

그러자 아내는 남편의 가장친한 친구 10명에게 전화를 했어요

10명 중 8명은 어제 자기네 집에서 잤다고 대답했고

2명은 지금도 같이 있다고 말했데요

I had a Korean friend who told me this funny story.

The story portrays the difference between men and women.

I heard this and I could not agree more with it.

Here's the story.

A woman didn't come home one night.

The next day she told her husband that she had slept over at her friend's house.

The man called his wife's 10 best friends,

And none of them knew anything about it

Later the man didn't come home one night, just like his wife.

The next day, like his wife, he told her that he had slept over at a friend's house.

Now, the woman called his 10 best friends.

Eight of them said he had slept over,

and two claimed that he was still there.

최부장님 좀 웃으셨을까요? 제가 서문에서 말씀드렸듯이, 유머를 가장 필요로 하는 대상은 회사 동료나 바이어가 아니에요. 최부장님 자기 자신이에요. 이 이야기가 최부장님에게 유쾌함이 되었으면 좋겠어요. 더 중요한 것, 이 말을 하면서 기대했으면 좋겠어요.

그런 것 있잖아요. 가위바위보를 하는데 상대방이 분명 가위를 먼저 내는 습관이 있어요. 내가 바위를 내면 무조건 이긴다. 이 말을 했을 때 상대방은 웃을 수 밖에 없을 것이다. 이런 기대를 가지는 거에요. 내면 이긴다는 생각으로, 말하면 상대방의 기분이 좋아진다는 생각으로. 이 영어유머를 발휘하는 것이죠.

그리고 잊지 말아야 할 쎈쓰. 이렇게 유쾌한 유머를 발휘하면서 정색하지 않기. 마지막에 문장을 내뱉을 때, 최부장님이 먼저 웃어주세요. 먼저 즐거워 해주시고, 먼저 유쾌함을 누려주세요. 웃음과 함께 터지는 유쾌한 말을 싫어 하는 사람은 없어요. 특히나 이렇게 유쾌한 말을 하는데, 아무런 감흥 없이 듣고만 있다? 그 바이어는 무슨 말을 해도 웃지 않을 바이어에요. 그리고 부장님한테 오더 안 줄 놈이었던 것이에요. 그러니까 걱정하지 마시고, 마음껏 내지르시기 바라요.

마지막으로, 이 영어유머를 구사하고 바이어가 웃었다. 그러면 후속타를 준비해주세요. 대화는 언제나 Why -> How -> What 순으로 흘러가요. 맨 처음에 던졌던 Why 가 바이어의 귀를 끌어 당겼다면, 중간에 길게 설명했던 영어 유머 How 가 바이어를 유쾌하게 만들었을 것이에요. 이제 마지막 What 을 후속구로 던져주시면 돼요.

여기서는 좀 더 편하게 준비를 해주세요. 최부장님만의 what 을 준비해주시면 더 좋아요. 여기에 최부장님의 실제 경험을 넣어주면 더 좋아요. 예를 들면 다음과 같아요.

[what]

나는 야근을 많이 하는 편이다. 그래서 집에 늦게 들어가는 날이 많은데, 아내는 늦게 들어오는 것을 싫어한다.

사실 솔직히 말해서 업무가 유일한 이유는 아니다.

회사생활을 하다보면, 동료들과도 어울려야 하니까 늦는 것도 있다.

힘들게 같이 일하고 맥주 한 잔 할 수 있지 않냐?

나는 그렇게 딱딱한 사람이 아니다. 같이 일하는 사람들을 잘 챙긴다. 그래서 맥주 한 잔 사주기도 한다.

아내는 싫어하지만, 그래도 나는 내 직장이 좋다. 내 직장동료들이 좋다.

기회가 되면 당신한테도 맥주 한 잔 사드리고 싶다."

I, for one, am a kind of person who is a little obsessed with work.

I work overtime, so consequently I go home late.

Of course, my wife doesn't like it.

But it's my job.

And to be completely honest, there are times I go home late because I drink out with my co-workers.

For me, having that kind of late-night drinking with my colleagues is part of my job.

Plus, spending time with them also helps to release some of the stress I get from work.

In fact, I like to be the first one to suggest drinking out, and buy them all around.

Yes, I really enjoy my work, and I like to show my appreciation for the people working with me.

Maybe one day I can treat you to a beer as well.

최부장님이 인간적으로 괜찮은 사람이라는 것을 어필할 수 있는 기회이고, 바이어와 후속 만남을 도모할 수도 있는 말이에요. 엄청나게 좋은 말이죠. 이렇게 구체적인 what 이 나오면 바이어는 이미 기분이 좋아져 있을 것이에요.

다만 여기서 중요한 점. 절대로 거짓말을 하지 말란 것이에요. 만약 최부장님이 맥주를 좋아하지 않아요. 혹은 주변 사람들에게 빡빡하게 대하는 사람이에요. 그러면 이런 말을 하면 안 되겠죠?

그러면 이렇게 말하지 말란 뜻이 아니에요. 이런 말을 하기 위해서, 이 What 을 미지막 어퍼컷으로 날리기 위해서 평소에 주변 사람들에게 맥주 한 잔 사주라는 뜻이에요. 거하게 사주지는 않아도, 솔직히 부장님 맥주 한 잔 정도는 괜찮잖아요. 호텔 식당이나 펍을 가지 않아도 돼요. 지나가다가 편의점에서 아이스크림 하나 쥐어 오는 것이라도 괜찮으니까, 하나 정도는 괜찮잖아요. 그쵸?

최부장님이 그리 째째한 사람이 아니라고 믿을게요. 그리고 나중에 책 다 읽으시고 괜찮으시면 저에게도 편의점 아이스크림 하나 정도 사주세요. 이렇게 사주고 하다 보면 혹시 모르는 거에요. 그 모습을 보며 바이어가 미소를 지을 수 있는 거잖아요. 갑자기 너무 뜬금없는 이야기를 한다구요? 죄송해요. 저도 저한테 미소를 선물하고 싶어서 한 말이에요.

여기서 다른 질문, 만약 최부장님이 여성분이시라면? 위에 있는 내용을 대폭 수정해야겠죠? 그 작업은 별개로 하셔야 하겠지만, 바이어에게 유쾌한 시간 한 번 주기 위해서 준비한다고 생각하면, 그렇게 힘들지 않을 거에요. 최부장님 파이팅!

3장.

소통의
가위. 바위. 보.

" 뻔대기 앞에서 주름잡고 있네요 "
- **Teaching a fish how to swim**

웃긴데 호감이 가는 방송인과, 웃긴데 비호감인 방송인이 있어요. 모든 사람이 다 그런 것은 아니지만, 이 둘의 차이에 일관적인 흐름이 있어요. 웃기긴 하지만 비호감인 사람은 보통 남을 깎아 내리면서 사람들을 웃겨요. 반대로 웃기면서 동시에 호감이 가는 사람은 겸손하게 자신을 낮추면서 상대방에게 유쾌함을 주죠.

유머라는 것이 개그와는 다르게 '타인에게 기분 좋은 느낌을 주는 것'이라고 정의를 내려드렸잖아요. 지금 사용하는 영어유머들도 마찬가지에요. 남을 공격하기 위해서 사용하는 것은 가시가 들어가고, 듣는 사람을 불편하게 만들어요. 반대로 자신이 스스로 낮아지면서 유머를 쓰면, 겸손하다는 느낌과 함께 재치를 줄 수 있어요. 이번에 드리는 유머가 딱 이것이에요. 자기 자신을 낮추면서 인간미를 보여주는 것. 그러면서 상대방에게 웃음을 줄 수 있는 것.

이런 유머의 특징은, 이것을 구사하면 상대방에게 빈틈을 보여준다는 것이에요. 비즈니스 상황에서는 빈틈을 보이면 안 되잖아요. 그런데 사람이 틈이 없으면 빡빡하게 느껴지고 답답해요. 그래서 비즈니스가 힘든 것이거든요. 감정적인 인간관계 속에서는 서로 실수도 하고, 긴장을 좀 낮추기도 할 수 있는데. 돈과 시간의 문제, 바이어와 영업의 부분에서는 절대로 긴장의 끈을 놓을 수 없죠.

이렇게 긴장의 끈을 팽팽하게 당기다 보면, 서로 신경을 많이 쓰게 되고, 에너지가 낭비되는데, 이때 필요한 것이 바로 '유머'에요. 비즈니스에 대해서 본론을 이야기 하는 부분에서 사용하면 안 되겠지만, 심각해야 하는 부분이 지나기 전 혹은 지나고 나서는 서로 긴장을 풀어주면 좋잖아요. 이런 상황에서 쓸 수 있도록 준비한 영어유머에요.

상황은 바이어가 자신의 실수를 말하는 상황일 때면 적절해요. 혹은 작은 실수를 하는데, 멋쩍게 웃고 있을 때. 이런 상황에서 쓸 수 있는 유머에요. 상대방이 실수를 했을 때, 나도 그런 적이 있다고 말하면서 웃음을 주는 것인데요. 모든 실수에 대해서 쓸 수 있는 것은 아니구요. 내가 뭔가 조금 알고 있는데, 그것을 아는 척을 했을 때, 그런데 그것을 잘못 알고 있을 때. 그럴 때 쓰면 적절한 유머에요. 혹은 내가 뭔가 알고 있다고 생각했는데, 사실은 잘 모르고 있었다. 이럴 때 적절하게 눈치를 보면서 사용하시면 됩니다. 먼저 Why 를 던질게요.

"그거 완전 뻔대기 앞에서 주름 잡는 꼴이잖아요. 저도 그런 적이 있는데요."

"It's like teaching a fish how to swim. How embarrassing! I have had a similar experience as you."

[How]

엄청나게 더운 날이었어요, 남자 한 명이 길가에 쓰러진거에요

사방에서 차가 막히는 것이에요

바로 그때 어떤 여자애가 그 남자한테 달려가는 것 있죠

그분이 무릎을 꿇고 셔츠를 풀었어요. 누가봐도 엄청 심각한 상황이었죠

그런데 아무도 뭘 해야할지 모르는 것이에요

저도 그냥 가만히 서있을 수 없었어요. 그래서 제가 학교에서 배웠던 위험 상황대치방법을 생각해냈죠.

사람들을 밀치고 나가서 그 여자분을 옆으로 밀었어요

"뭘해야할지 내가 알고 있습니다."

그 여자분이 옆으로 비켜서고 쳐다보더라구요

저는 제가 배웠던 CPR 을 실행했어요

그러니까 갑자기 그 여자분이 제 어깨를 두들기더라구요

"의사가 필요할 때가 되면 알려주세요"

[How]

It was a scorching hot day,

and a man fainted in the middle of the street.

Traffic quickly became congested in all directions.

Just then a woman rushed to help him.

She knelt down to loosen his collar

and anyone in that situation then could tell that it was serious,

but no one seemed to know what to do.

I couldn´t just stand there without doing anything,

so remember what I learned in high school during an emergency situation like this,

I pushed through the crowd,

gently put my hand on the woman´s shoulder and said, "I know what to do."

The woman stood up and watched just about when I was going to perform CPR on man,

she tapped me on the shoulder and said,

"Call me when you need a doctor."

혹시 최부장님이 이렇게 나서는 타입이 아닐 수 있어요. 그러면 주어를 바꾸면 돼요. 주어를 최부장님에서 최부장님 친구로 바꿔서, "I(나)"라고 지칭한 것들을 My friend(내 친구) 혹은 He(그 녀석이) 라고 말하면 돼요.

지금 이것은 하나의 에피소드를 던진 것이에요. 앞서 말씀드렸던 것처럼, Why -> How -> What 에서 How 의 부분까지 다룬 것이라 보면 돼요. 마지막에 이제 What 을 더해주시면, 대화는 완벽하게 마무리가 될 것이에요.

How 의 부분에서 다룬 내용이 참 많아요. 그리고 부장님이 이런 이야기를 자신이 한 이야기 혹은 부장님 친구가 겪은 일이라고 했을 때, 바이어에게 부장님의 빈틈을 보여주는 것이잖아요. 이렇게 부장님이 빈틈을 보여주면 바이어가 채우려고 할 것이에요.

만약 바이어가 이런 빈틈을 채우려고 하지 않는다. 그런 바이어는 정말 나쁜 사람이니까, 부장님 자신을 탓하지 않아도 돼요. 그리고 그 바이어는 나중에 다른 곳에서 똑같이 당할 것이니까 많이 신경 쓰지 마시구요.

바이어가 웃으면서 부장님의 빈틈을 채우려고 한다. 부장님도 바이어와 이야기를 계속 주고받는다. 그럴 때 이제 마지막 what 을 던져야 하는데요. 이럴 때 쓰면 좋은 말들 정리해 드릴게요.

[What]

사람을 외모로만 보고 판단하면 안 되더라구요

왜 그 여자가 의사라고는 생각하지 못했을까요?

사실 여자가 그렇게 나서면, 분명 뭔가 있다는 뜻일텐데요

좀 창피한 경험이긴 하지만, 덕분에 참 많은 것을 배웠어요

세상은 나 혼자 잘난 맛에 사는 것이 아니다

I probably shouldn't have judged her by her appearance and gender.

I was embarrassed.

In retrospect, she was very calm and professional about the situation, and didn't hesitate to act.

That should have been a dead giveaway.

I learned a lot from that experience though.

Never judge anyone by their appearances; My preconception may just get in the way of those who really know what they're doing.

저는 개인적으로 이런 류의 유머를 좋아하는데요. 제가 바이어와 만났을 때, 이런 류의 이야기를 많이 했어요. 누구나 실수할 수 있는데, 하필 그 실수를 한 것이 나였다. 그런데 이것을 어떻게 말하느냐에 따라서 사람의 매력이 달라지는 것 같아요.

나는 정말 재수가 없는 놈이었다. 그래서 다른 사람이 걸릴 것 같은 실수가 나한테 벌어진 것이다. 이렇게 말하면, 매력도가 많이 떨어져요. 안 그래도 실수라는 것을 모르는 사람이 없는데, 나 혼자 깨끗한 척하는 것이잖아요. 나는 잘 살아왔는데, 세상의 규칙이 혹은 세상의 문화가 이상해서 내가 손해를 봤다는 식의 어감이 들어가요.

반대로 남들한테 일어날 수 있는 일이었는데, 나한테 일어나서 다행이다. 너무 큰 실수가 아니었기 때문에 사람들도 이해를 해주는 것 같더라. 앞으로는 이런 실수하지 않도록 하겠다. 솔직히 실수라고 말하긴 했지만, 실수라기보다는 그냥 나의 잘못이었다. 이렇게 잘못을 하고 나니 세상 사는 법을 알게 되는 것 같다. 남들이 나한테 실수할 때면 화를 내곤 했다. 그런데 내가 실수를 하는 입장이 되다 보니, 그러면 안 된다는 생각이 들었다. 내가 하면 실수라고 말하고 남이 하면 잘못이라고 하면 안 되지 않냐? 이런 식으로 받아들이고 말하시면 정말 엄청나게 매력적으로 보여요.

그리고 후자로 말하면 생기는 이점들이 꽤나 많아요. 이런 식의 태도와 말을 들으면 상대방은 이렇게 생각하게 되거든요. 당신이 실수를 하는 사람인 것을 알겠다. 그것이 나쁜 의도로 하는 것은 아니라는 것도 알겠다. 게다가 그런 실수를 통해서 성장하고 고치려고 하는 좋은 태도를 지닌 것도 좋다. 이런 식의 작은 실수는 나도 용서를 해줄 수 있다.

마지막으로, 최부장님께 드리고 싶은 유머는 이것이에요. 비즈니스 최전선에서 바이어 응대를 하면서 얼마나 힘드시겠어요. 실수를 없애려고 혹은 실수하지 않으려고 쏟은 노력들 다 알고 있어요. 주변 사람들이 몰라준다고 생각할 수 있지만, 아니에요. 주변 사람들도 다 알고 있고 회사도 알아주고 있답니다. 최부장님한테 항상 뭐라고 하던 김상무님 계시죠? 김상무님도 사실 최부장님이 얼마나 노력하는지 알고 있어요. 그런데 조금 실수했던 것, 그것 그냥 품고 가요. 인정하고 가요. 세상에 완벽한 사람은 없잖아요. 우리는 실수 속에서 성장하니까 말이에요. 이번 장에도 작지만 기분 좋은 유쾌함을 얻어 가셨기를 바랍니다.

소통의
가위. 바위. 보.

" 사실을 추구하는 것과
  가치를 추구하는 것은 다르죠 "

- Fact claim has nothing to do with
  value claim.

불법과 비법은 다른 것이죠. 왜 이럴 때 있잖아요. 불가능한 것은 아닌데, 그렇다고 정당한 것도 아닌 때. 이런 이야기를 할 때 쓰면 좋은 Why - How - What 을 드릴게요.

[Why]

사실을 추구하는 것과 가치를 추구하는 것은 다르죠

"Fact claim has nothing to do with value claim"

[How]

제가 단기성 프로젝트를 할 때였는데요

단기 프로젝트는, 알다시피, 결과를 원하잖아요

그리고 이런 종류의 프로젝트는 일반적이지 않은 많은 문제를 가지고 있어요. 장기 프로젝트에서는 볼 수 없는 것들이요. 아주 구체적인 규칙, 법률 이따위의 것들이요. 그래서 일을 진척시키기 정말 힘들죠

그런데 어떤 비즈니스맨들이든 비즈니스 여성들이든간에 동의할 것이에요, 이런 종류의 사업은 모든 규칙을 지킬 수 없다구요.

이거 완전 진흙탕 싸움이잖아요, 그리고 아무도 기다려주지 않아요, 그들이 원하는 것을 내가 가져다 주기까지요

그래서 저는 팀이 필요했어요. 유연하고 일을 잘 알고 있고 직관적으로 문제해결할 수 있는 사람들

3명의 지원자가 있었는데요

첫 번째 친구는 수학전공자였어요

두 번째 친구는 통계학전공이었구요

마지막 지원자는 경제학 전공이었죠

저는 지금 이 상황에 대해서 설명해주었어요. 그리고 아주 간단한 질문을 던졌죠

"2 더하기 2 는 무엇이죠?"

수학전공자가 대답하는 것이에요. "4 입니다."

확실히 적임자는 아니죠

그래서 두 번째 지원자한테 물었어요

"2 더하기 2 는 무엇이죠?"

그러니까 이렇게 말하더라구요. "평균적으로 4 입니다. 10 퍼샌트 성노격차가 있을 수 있는데, 평균적으로 4 에요."

조금 실망했어요. 그래서 마지막 지원자한테 똑같은 질문을 던졌어요

그러니까 그 지원자가 일어나서 문을 다고 저한테 묻더라구요 "몇을 원하시나요?"

[How]

I once led this short-term project.

Short-term projects, as many know, require showing performance.

And these type of projects tend to have obstacles not typically seen in highly invested long-term projects - very specific policies, laws, etc. that may get in the way of going to the next step.

But any businessman or businesswoman will tell you, that a business can't all run on strictly following the rules.

It's a jungle out there, and no one is willing to wait for you to get them what they want.

So I needed a team that was flexible, a group that knew the work and intuitively knew how to work around obstacles.

There were three job applicants:

The first one was Math major.

The second guy majored in Statistics.

The third applicant had a major in Economics

I explained to them my current situation and gave them a simple question:

"What is two plus two?"

A math major replies, "Four."

He wasn't going to be it.

I asked the second applicant

"What does two plus two equal?"

He says, "On average , four - give or take ten percent, but on average, four."

A little disappointed, I asked the final applicant the same question.

He gets up and closes the door behind him and says with a straight face, "What do you want it to equal?"

그럴듯한 이야기이죠. 그럴듯하다는 말은 실제 있었다는 뜻이 아니라, 다른 누군가 들었을 때 수긍할 수 있다는 말이에요. 제가 준비한 유머는 이 정도 수준을 계속해서 지키려고 노력했어요. 재미있는 점은 이런 말을 고객에게 하거나 외국인 친구에게 했을 때, 단 한 명도 저에게 그것이 진짜냐고 물은 사람이 없다는 것이에요.

아무리 생각해도 말이 되지 않잖아요. 어디 감히 팀원이 될 사람이 문을 닫고 저한테 협상하듯이 몇을 원하냐고 묻겠어요. 어딜 감히 최부장님이 팀장인데 팀원으로 지원한 사람이 그런 식으로 말하겠어요. 그런데 여기서는 그런 사건이 있었다는 것이 포인트가 아니에요.

우리는 사실을 기반으로 이야기를 던지는 것이 아니라, 가치를 중심으로 이야기를 던지기 때문이에요. 상대방이 수긍할 수 있는 가치다. 그리고 내가 전달하려는 가치가 충분히 담겨 있다. 그러면 그것으로 충분한 것이죠. 자신 있게 이 유머를 던지시면 됩니다

마지막 What 을 던질 차례에요. 만약 바이어가 How 를 들었을 때 웃었다면, 이미 바이어의 마음은 최부장님 것이에요. 그러니 안심하고 무엇이든 다 던져도 됩니다.

[What]

경제학을 전공한 마지막 지원자를 뽑았다.

간단한 질문으로 어려운 문제를 풀 수 있었다.

당신도 이런 사람이 필요하지 않느냐? 내가 우리 회사가 그런 지원자가 되어주겠다. 아니 내가 그런 지원자가 되어 드리겠다.

당신은 2 + 2 가 무엇이 되기를 바라시냐?

So I selected the last applicant.

A simple question, often times can solve complicate problems.

I will be like that last applicant for you.

So.. What do YOU want?

최부장님은 2+2 가 무엇이 되기를 원하시나요? 다른 이는 4 라고 말하겠지만, 저는 최부장님에게 그 답으로 '유머'를 드리고 싶어요. 이번 챕터로도 한 번 더 웃었으면 좋겠어요. 잔잔한 미소라도 좋으니 웃으셨다면, 다음 유머로 넘어가겠습니다.

장.

소통의

가위. 바위. 보.

" 있어 보이는 것이 더 중요하죠 "

- **The power look**
  is what we need to get ahead

지금 시대는 자기 PR 의 시대라는 말이 있잖아요. 맛있는 밥집보다 유명한 밥집이 장사가 잘 되는 시기. 불공평해 보이지만 사실상 따지고 보면 그렇게 틀린 말도 아니에요. 왜냐하면 우리는 우리가 익숙한 것을 선호하고, 우리가 정보를 어렵게 얻는 것은 원하지 않잖아요.

이런 현상이 요즘 세대와 겹쳐지면서 더 극명하게 효과를 발휘하는 것 같아요. 최근에 저도 깜짝 놀란 것이 있는데요. 한 필라테스 강사분이 이런 말을 하더라구요. 잘 가르쳐 주는 것, 서비스가 좋은 것, 혹은 효과가 있는 것. 이런 것보다 더 중요한 것들이 있다구요. 요즘 필라테스를 운영하는 사람들은 가장 우선순위로 두고 있는 것이 있다는데요.

다름이 아니라 '사진을 잘 찍어주는 것' 이라고 해요. 운동을 잘 알려주고, 효과를 극대화하는 방법을 알려주는 것보다 더 우선이 되는 것은, 고객이 만족할만한 사진을 찍어주는 것이라고 해요. 고객은 이 사진을 통해서 자기 PR 을 하고 자신의 개인 소셜미디어에 업로드를 한데요. 고객의 관심사가 이것에 맞춰져 있으니, 필라테스 강의가 운동 알려주는 서비스가 아니라 사진 찍어주는 서비스화 되고 있다고 하더라구요.

요즘 세대의 이야기를 하면서 혹은 이런 비슷한 사례의 것들이 화재라면 쓸 수 있는 유머 드릴게요. 언제나처럼 Why -> How -> What 의 순서대로 이루어져야 해요

[Why]

있어 보이는 것이 더 중요하죠

"Looking like it is more important"

이 말을 직역하면, 강하게 보이는 것을 먼저 취해야 한다. 보이는 것이 더 중요하다는 말이에요. 처음에 화두로 던졌던 것과 일맥 상통하죠. 이 말에 동의를 한다고 하면 재미있는 이야기를 해준다고 하고 How 를 던지시면 됩니다.

[How]

이거 우스갯소리입니다

혹시 임윤찬이라고 들어보셨어요?

한국에서 가장 유명한 피아니스트에요. 번클라이번 콩쿨대회에서 1등을 했거든요

어느 날 임윤찬씨가 작은 마을에 갔어요. 그런데 주변에서 피아노 소리가
들리는 것이에요

그래서 그 소리를 따라 갔는데 한 집이 나오는 것이에요

그리고 거기에 이렇게 적혀 있더래요. "미스 김. 피아노 래슨, 시간당 10 달러."

거기에 젊은 여자분이 쇼팽의 야상공을 연주하고 있었는데요

정정할게요. 그 여성분이 쇼팽의 야상곡을 연주하려고 했는데요.

그분이 임윤찬을 바로 알아본 거에요

완전 기뻐서 임윤찬씨를 안으로 초대했죠.

임윤찬씨는 앉아서 야상곡을 연주했는데요, 그 다음에 그녀가 실수한
부분을 교정해주었어요

몇 달 후에, 임윤찬씨가 같은 마을에 방문을 했어요. 그리고 그 여자의 집에
문패가 바뀐 것을 봤죠

"미스 김. 피아노 래슨, 시간당 20 달러. 임윤찬 문하생"

This is just a funny story.

Have you heard about Im Yoon Chan?

He is one of the most famous pianists in Korea, who won 1st place at Van Cliburn International Piano Competition.

One day he was walking around in a small town and heard the sound of a piano playing nearby.
He followed the music where he came to a house,
on which there was a sign reading: "Ms. Kim, Piano lessons $10 an hour."

He heard the young woman playing one of Chopin's nocturnes.

Let me rephrase; She was trying to play one of Chopin's works.

He knocked on the door, and Ms. Kim came to the door.
She recognized him immediately.

Delighted, she invited him in and he sat down and played the nocturne, spending the next hour correcting her mistakes and teaching her how to play.

Several months later, he went back to the same old town, and the sign on that woman's door now read:
"Ms. Kim. Piano lessons $20 an hour. Pupil of Im Yoon Chan."

앞의 이야기를 했다면, 이야기 중간에 샐 가능성이 많아요. 임윤찬씨에 대한 이야기, 콩쿨에 대한 이야기, 피아노에 대한 이야기. 이외에 다양한 방면으로 흐를 수 있어요. 그런데 이야기가 그런 식으로 흘러간다고 해서 너무 당황하지 않아도 돼요. 그냥 이야기가 다른 방향으로 흘러가면 흘러가는 대화가 자연스럽게 이어지도록 만들어 주세요.

그리고 이 이야기의 끝까지 도달하셨다면, 축하드려요. 가치와 함께 영어 유머를 던지는 것에 성공했으니까요. 박장대소하게 웃기는 이야기는 아니지만, 전달하려고 했던 가치를 상징적으로 잘 드러낼 수 있는 이야기이기 때문에 바이어도 자신의 이야기를 할 것이에요. 바이어의 응답에 따라서 그 다음에 할 말들이 정해지는데요.

만약 대화가 잘 이어지지 않는다고 생각이 든다면 다음과 같이 마지막으로 What 을 던지는 것을 추천드려요

[What]

개관적인 사실보다는 주관적인 가치가 더 중요한 시대잖아요

마케팅과 사기는 한 끗 차이죠

저는 똑똑한 방법을 좋아하는데요. 이것은 낚시죠

These days, personal opinion is more powerful than objective fact

There is a minor difference between Marketing and scam

I like being clever, but this is a deceptive beit.

그 다음으로 던지는 말들은 어떤 식으로 구성을 하든 앞의 말들과 연결이 될 것이에요. 이 다음에 개인적인 이야기를 더 추가를 해도 되구요. 당연히 최부장님이 준비하는 이야기가 많으면 많을수록 더 풍성한 이야기가 오고 갈 수 있겠죠?

제가 롤모델로 삼은 사람이 이런 말을 하더라구요. "외모도 실력이다." 보이는 것을 중요하게 생각하지 않으면, 자신의 실력을 발휘할 기회조차 주어지지 않는다. 우리는 실력을 보여주기 위한 기회 역시 얻으려고 노력을 해야 한다. 저는 그 말에 동의해요. 회사에 나의 가치를 입증하기 위해서 획득한 대학 졸업증명서, 내가 놀지 않았다고 말하기 위해서 준비한 토익시험 결과, 각종 자격증. 이런 것들이 저를 대변하지 않지만, 이런 것이 준비하지도 않고 나의 실력을 봐달라고 하는 것은 어린애 떼쓰기에 불과하더라구요.

영어유머도 마찬가지라고 생각해요. 바이어에게 유머를 발휘할 수 있는 것은, 단순하게 영어를 잘하기 때문에 혹은 대인관계능력이 좋아서 그런 것은 아니에요. 철저한 준비가 선행되어야 해요. 그리고 그 준비들을 탄탄하고 다중으로 구성한 만큼 더 입체적인 의전이 가능해요.

그러나 잊지 말아야 할 것. 이 유머들을 통해서 최부장님이 먼저 유쾌함을 느끼셔야 한다는 것이에요. 최부장님과 바이어의 관계는 잘 모르겠지만,

무튼 이 책을 읽고 있는 최부장님은 저의 바이어니까요. 어떻게 제가 준비한 Why -> How -> What 은 좀 잘 준비가 된 것처럼 보이나요? 그렇게 느끼기를 바라며, 최부장님에게 미소 한 번 지었기를 바라봅니다.

3장.

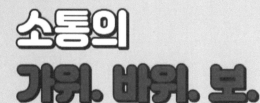

소통의
가위. 바위. 보.

" 무엇을 하느냐보다
  누구랑 하느냐가 중요하죠 "
* **It is not the what but the who**

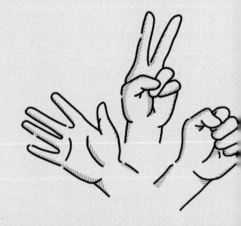

부장님 그럴 때 있잖아요. 나는 '어떤 것'이 중요하다고 생각해서 몰두했는데, 알고보니 '어떤 사람'이 더 중요할 때요. 바이어 방문 때 하는 일 중 '오딧점검'이라는 것이 있잖아요. 바이어들이 와서 점검을 할 때, 안전점검, 라인점검, 품질점검 같은 것을 하는데요. 이런 상황을 대비해서 준비한 유머였어요. 혹은 바이어가 우리와 우리 경쟁사를 비교하는 상황을 전제로 준비한 대화에요

[Why]

It is not the what but the who

무엇을이 중요한 것이 아니라 누구랑이냐가 중요하죠

상품이 중요하지 않다. 객관적인 사실들이 중요한 것이 아니다. 큰 흐름이 어떻게 흘러가고 누구와 하는 것인지 역학관계가 더 중요하다. 이런 것들에 대한 이야기인데요. 이 말을 듣고 관심이 있는 것처럼 보인다면 지체하지 말고 바로 How 를 뱉으시면 됩니다

[How]

왜인지 말씀드릴게요

보통 사람들은 객관적인 사실에 집중을 해요

눈에 보이는 스펙, 눈에 보이는 기준들

그런데 그 이면에 있는 것들은 신경을 안 쓰는 편이죠

제가 야구를 좋아하는 편이에요

그런 것 있잖아요

친구들 끼리 술자리 내기를 하면서 하는 말

한 친구가 이런 말을 하더라구요

Micky Mantel, Joe Dimaggio, Lou Gherig, Babe Ruth, 그 외 다른 에이스들

걔들을 가지고 게임 하면 지지 않는다

그런데 다른 친구가 그 말 듣더니 이렇게 말하는 거에요

"아냐 그 친구들 다 가지고 있어도 질 수 있어"

"내가 질 수 없는데, 왜 진다고 하는 거지? 너는 어떤 사람이랑 함께 할 것인데?"

그때 그 친구는 듣도 보도 못한 사람들의 이름을 말하는 거에요

Scott Barry, Lance Barrett, Adam Beck

저도 들어본 적이 없던 이름이었어요

그래서 그 대답을 들은 친구가 이렇게 말하더라구요

"그런 사람들과 함께 경기해서는 내 팀을 이길 수 없어"

그리고 나온 대답이 이것이었어요

"얘네들은 다 야구경기 심판들이야"

Let me tell you why.

We often focus on apparent truth, or commonly accepted information.

As an example, sports - we typically concentrate on the score, the number of hits and the performance of the team.

We will most likely overlook other factors that may affect the game.

Like this one time, I was out with some old friends, and they all happened to be big baseball fans.

One guy - and I will refer to him as A - said, "If I have Micky Mantel, Joe Diamaggio, Lou Ghereig, Babe Ruth? Never lose, I bet you"

Then another guy, I'll call him B. replied, "I bet I'd win"

A asked him, "There's absolutely no way. Who do you have on your list?"

I heard names that I have had never heard of

"Scott Barry, Lance Barrett, Adam Beck"
With this A replied,

"They're basically nobody. My team will crush them in the first inning"

Then B replied, "All of my guys are umpires."

심판을 매수하는 행위는 올바른 행위는 아니죠. 하지만 아무리 플레이어가 뛰어나도 판단하는 사람이 그 플레이를 인정해주지 않는다면 무슨 소용이겠어요. 그러니 만약에 선수를 고용하는 것과 심판을 고용하는 것 두 개의 선택지가 있다면 저도 심판을 고용하는 것이 낫다고 생각해요. 이것은 그냥 농담삼아 한 말이에요.

이 영어유머는 제가 실제로 구사했던 것은 아니에요. 바이어를 상대로 준비했던 영어유머예요. 혹시 바이어가 야구를 좋아한다면, 이 유머는 보다 극적인 효과를 거둘 수 있겠죠?

다만 이 유머를 구사할 때 주의할 점이 있어요. 최부장님이 야구를 좋아해야 한다는 것이에요. 최부장님이 야구에 대해서 아무것도 모르고 바이어에게 이렇게 유머를 구사한다. 그런데 마침 바이어는 야구에 열광하는 사람이었다. 그러면 정말 큰일이 벌어져요. 이 유머를 들은 바이어는 야구에 대해서 엄청난 이야기들을 쏟아 놓을 것이니까요.

미국 야구팀 중 어떤 팀을 좋아하냐? 지난 번 시즌에서 하이라이트를 보았냐? 야구장 직접 가서 보는 것이냐? 별의 별 이야기가 쏟아질 것이에요. 그러니 이것을 구사하시기 전에 방금 말씀드린 것을 꼭 점검을 해주세요. 바이어가 야구를 많이 좋아하는가? 야구에 대해서 추가적인 이야기가 나왔을 때, 나는 이해할 수 있는가?

만약에 이런 것이 불가능하다면, 이 유머를 구사하기 전에 한 마디 더해 주셔야 해요. 바로 '나는 야구를 좋아하지 않아서 잘 모르는데, 내 친구들은 좋아한다.' 라는 말이에요.

이렇게 말하는 것은 정말 많이 매력적이에요. 왜냐면, 상대방이 야구를 좋아한다는 가정 하에 이런 말을 할 경우, 자신이 관심이 없는 분야에 대해서도 이야기 할 수 있는 사람이 되는 것이죠. 반대로 바이어가 야구에 관심이 없다면, 그냥 쉽게 주고받을 수 있는 유머소재가 되는 것이죠. 후속으로 따라오는 이야기에 대해서 어느 정도 방어를 하고 유머공격을 할 수 있다는 것이에요.

다시 한 번 말씀드리지만, 가위바위보 게임은 그냥 확률게임이 아니라, "계산된" 확률게임이에요. 마찬가지로 유머도 그냥 소통이 아니라, "정성스럽게 준비한" 소통이어야 해요. 그리고 이 유머는 100% 사실에 기반을 두지 않아도 되지만, '진실'해야 해요. 내가 야구를 좋아하지 않으면서 좋아하는 척 하고, 이런 유머를 구사하면 대형 사고가 납니다. 상대방은 나의 존재에 대해서 어느 정도 예상할 수 있는 레이블을 가지고 대화를 이끌어가는데, 내가 거짓말을 한 것 때문에 소통이 안 되면 배신감을 느끼기 때문이에요. 때문에 영어 유머의 중요한 포인트 하나, 각색은 되지만 거짓은 안 된다.

지금 이 이야기를 그래서 최부장님 친구가 말했냐구요? 그럼요. 제가 최부장님 친구 A 이고 B 잖아요. 제가 한 말을 최부장님이 들었으니 이 책을 읽을 때 맥주 한 잔 하시면서 읽으세요. 위에서 말한 Beer time 에 나눈 이야기가 되니까요. 이제 됐죠? 그럼 이제 이번 유머의 마지막을 장식할 만한 What 을 준비해드리겠습니다.

[What]

야구만 그런 것이 아닌 것 같아요. 일도 결국 사람이 하는 것이잖아요. 저희 회사는 저를 고용했네요. 감사하게도 말이에요.

심판이 내편이라면 질 수 없죠. 참고로 저는 바이어씨 편입니다.

이런 결과는 상상도 못했죠

It does not only apply to baseball but also business. Because business is about Whom we are with. My company is with me. Thanks

I won't lose when I have all umpires. You know what? You have me.

It blew my mind, I never expecetd this end. I think my friend is genius.

누구랑 함께 하는지에 대해서 말하는 것이기 때문에, 여기서 나는 바이어랑 함께 한다는 말을 곁들일 수 있어요. 심판이 같은 팀이라면 지지 않듯, 바이어가 우리 팀이라면 비즈니스에서 실패할 수 없는 것이잖아요.

그런데 앞에서도 말했듯이, 이번 유머는 정말 계산을 잘해야 하는 유머에요. 최부장님의 아이덴티티가 훼손되면 안되니까요. 만약에 바이어가 미국에서 왔다고 하면, 웬만하면 야구를 정말 많이 좋아할 것이에요. 그러니까 미국 바이어와 이야기 한다고 하면 미국 야구를 한 번 쯤은 관심있게 볼 필요도 있어요. 바이어에 대한 이해도도 높아지고, 미국에서 야구가 어떤 위치인지도 알 수 있으니까요.

하나 더 추가를 하자면, 미국에서 비즈니스를 하는 사람들끼리 쓰는 은어들이 있는데, 이 은어들은 야구나 미식축구에서 왔어요. 스포츠 용어가 비즈니스 용어로 전이된 사례들인데요. 이런 것들까지 알아 두면 야구를 좋아하는 바이어와 이야기를 할 때 정말 많은 도움이 되겠죠? 물론 이런 은어들을 잘 연습하지 않고 남발하면 그것도 문제가 되겠지만요. 참고로 최부장님은 저를 고용하셨네요. 비즈니스 영어 유머에서 만큼은 절대 지지 않게 만들어 드릴게요. 파이팅입니다.

3장.

소통의
가위. 바위. 보.

" 남의 잘못은 잘 보이고
　　　　내 잘못은 안 보이잖아요 "

- It is bad habit,
  blaming others for my fault
  but it is easy to find fault in others

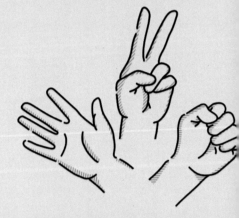

남을 낮추는 것처럼 보이지만 실제로는 자신을 낮추는 화법, 유머의 끝판왕이죠. 듣는 사람한테는 호감을 불러일으킬 수 있고 공감대도 형성할 수 있는 아주 좋은 유머 하나 더 드릴게요.

사람들이 일반적으로 '원인'을 찾을 때 언제 찾는지 아세요? 재밌는 이야기인데요. 보통 일이 잘 풀릴 때는 이유를 찾지 않아요. 그렇잖아요. 대학에 입학할 때, 취업에 성공할 때, 바이어한테 딜을 따냈을 때. 이럴 때는 원인이라는 것을 분석하지 않아요. 왜냐면 계획을 만들었기 때문이에요. 무언가를 하기 이전에 보통 계획을 세우고 그 계획에 맞게 실행했더니 결과가 원하는 데로 나왔다. 그러면 계획이 잘 된 것이고, 이유를 따지지 않죠. 성과를 어떻게 분배할지 또 다시 새로운 계획을 세우죠.

그런데 반대로 일이 원하는 데로 풀리지 않았어요. 그러면 사람들은 '이유'를 찾기 시작해요. 자신이 생각했던 시뮬레이션과 다른 결과값이 나오니까요. 처음에 계획할 때와 다른 변수가 생겼기 때문에 결과값이 달라졌다고 생각해요. 이때 보통 사람들은 자신의 계획에 문제가 있다고 생각하지 않아요. 자신의 계획은 완벽했는데, 그 일을 실행할 때 실무자들이 실수를 했다고 생각해버려요.

당연하죠. 계획에서부터 문제가 있다고 하면, 실무자가 잘못한 것이 아니라, 그 계획을 구상한 관리자가 잘못한 것이니까요. 그래서 관리자들은

'남탓'이 기본 디폴트 값으로 장착해두고 있어요. 그것이 나쁘다는 것이 아니라, 원래 그런 것이에요. 자기가 오더를 잘못 내렸다. 처음부터 내가 잘못된 기안을 한 것이다. 이렇게 말하는 사람은 이 세상 어디에도 없어요.

사실 계획이라는 것이 완벽할 수 없잖아요. 상수라고 생각했던 요소들도 변하는 것이 요즘 시대인데, 변수들만 고려한다는 것이 쉽지 않아요. 그러니까 예상치 못한 결과값이 나왔을 때 너무 당황해하지 마세요. 그리고 그런 결과값이 나온 것으로 실무자들을 너무 구박하지 않으셔도 돼요. 어차피 일이 한 번에 척척 될 것이라고 생각하지 않았을 것이잖아요.

이런 상황을 마주했을 때, 바이어가 이런 상황에 대해서 이야기를 한다면 좋은 유머를 하나 펼쳐 드릴게요. 바이어와 식사를 하러 가는데, 예약이 잡혀있지 않았다. 실무진한테 분명히 일시와 장소를 제대로 말해 두었는데, 룸이 없어서 30분을 더 기다려야 한다. 혹은 다른 식당으로 옮겨야 한다. 그럴 때는 그 실무자한테 전화를 해서 화를 낼 것이잖아요. 내가 잘못한 것이 아니라는 것을 바이어에게 보여주기식으로라도 전달을 해야 하니까요. 그런데 이렇게 화만 내면 핑계대는 사람으로 보일 수 있어요. 좋지 못한 인상을 남길 수 있죠. 이럴 때 구사하면 좋은 유머입니다. 앞에서와 같이 먼저 why 를 던져주서야 해요.

[why]

"We tend to see others flaws and not our own"

이렇게 말하면, 앞서 최부장님이 보여주었던 '핑계'가 보다 객관적인 이유로 다가올 수 있어요. 자신이 했던 남탓을 인정하지 않는 사람은 누가 봐도 남탓하는 사람으로 보이거든요. 반면에 자신이 했던 남탓을 남탓이라고 표현하는 사람은 남탓할 사람이 아니라는 느낌을 줘요.

살면서 실수 한 번 안 해본 사람은 없잖아요. 그리고 최부장님이 화를 낸 상황에서, 내가 화를 낸 것이 좋은 습관은 아니다라고 말할 수 있는 사람은 많지 않아요. 오히려 실무진을 더 뜯어서 자기 체면만 살리려고 하죠. 그런데 그런 사람들은 잘 모르죠. 남들을 깎아내려서 특히 자신 밑에 있는 실무진을 깎아치기 해서 자신을 높이는 것은 듣는 사람에게 상당히 많은 비호감을 준다는 것을요. 오히려 자신을 낮추면 더 큰 호감을 줄 수 있는데, 사람이라는 동물이 이런 역선택을 쉽게 하지 못해요.

어쩌면 유머라는 것은 사람들이 일반적으로 하는 선택을 비꼬아서 선택함으로 인해 '달라' 보이는 느낌을 주는 것일 수도 있어요. 이런 선택을 하는 것만으로도 이미 평범한 남들과는 다르다는 느낌을 줄 수 있으니까요.

다른 가치관에 다른 행동 그리고 다른 언어를 보여준다면 정말 매력적이죠. 그런데 여기 Why 를 던지는 것에 멈추지 않고 How 까지 던져주신다? 그러면 정말 엄청나게 매력적이겠죠? 바이어가 웃으면 지체하지 말고 바로 How 를 던져주시면 됩니다.

[How]

제 아들이 가끔씩 너무 말썽을 부리는 것이에요

그런데 언제 적에 보니 또 그러는 것 있죠

그래서 한 마디 해야겠다 생각했죠

"너 그렇게 못되게 굴면, 네 아들도 그렇게 못되게 군다고!"

갑자기 아들이 키득거리더니, 점점 더 크게 웃는 것이에요

"뭐가 그렇게 웃기니, 아들아?"

"아빠는 할아버지한테 어떻게 굴었던 것인데요?"

My son is a very naughty eight-year Old. And at times it gets out of hand.

So one day I decided to teach him a lesson

I said, "Don't you know that if you keep being so naughty, your son will be naughty too?"

My son giggled uncontrollably.

I asked him, "What's so funny?"

To which he replied, "What did Grandpa say about you when you were young?"

He had a point.

자기 자식한테 못된 말을 하는 것은 어른스럽지 않은 것 같아요. 내 아들은 100% 나를 닮았을 것이잖아요. 혹은 100% 아내를 닮았을 것이잖아요. 누구를 닮았든 아무튼 나를 닮았거나 내 배우자를 닮았거나 둘 중 하나인 것은 분명하잖아요. 그런데 그런 아이들에게 '넌 누굴 닮은 거니?'라고 말한다면 그것은 결국 나 자신을 욕하는 것 아니면 내 배우자를 욕하는 것이잖아요.

내가 하던 행동을 내 아들이 똑같이 하게 되거든요. 밥을 먹을 때 젓가락을 똑바로 쥐지 않는 사람은 부모 중 한 명이 혹은 두 명 전부다 젓가락을 똑바로 쥐지 않을 확률이 89%라는 통계가 있어요.

다시 말하자면, 내가 이상하게 젓가락질을 하면, 내 아들이 젓가락질을 이상하게 한다는 것이죠. 내가 책을 읽지 않으면 내 아들이 책을 읽지 않아요. 내가 쉴 때 티비나 유튜브를 보면서 뒹굴거리면, 내 아들도 쉴 때 티비나 유튜브를 보면서 뒹굴거려요. 그러니까 내 자식이 잘못하는 것이 있다면, 그것을 자식 탓으로 돌리면 안되요. 최부장님이 자녀분에게 잘못 본을 보인 것은 없는지 먼저 살펴보는 것이 중요해요. 무려 89%나 부모를 닮았다고 하니까요. 이 통계가 어디서 나왔냐구요? 세계적인 언어습득 컨설턴트의 책 <바이어를 미소 짓게 한 최부장의 영어유머> 3장 7부, "남의 잘못은 잘 보이고, 내 잘못은 잘 보이지 않잖아요"에 보면 나와요. 잘 찾아보세요.

더 중요한 것은 이것이 자식관계에서만 그런 것이 아니라는 점이에요. 가정은 작은 사회라고 하는데요. 제가 보기에 큰 사회도 마찬가지에요. 사이즈가 좀 커지고 닮은 정도가 다를 수는 있는데요. 내 밑에 부하 직원을 욕하는 것은 이것과 동일한 일이라고 보여요. 왜냐면 회사는 같은 가치관을 가진 사람들이 결과를 만들기 위해서 모인 조직이잖아요. 그리고 내 밑에 있는 실무자들 혹은 관리자들은 최소한 몇 개월 혹은 몇 년간 누군가를 보고 배우며 업무능력을 키웠을 것이잖아요. 그것도 아니라면 최소한 우리 회사와 가치관이 맞는 사람을 추리고 추려서 뽑은 사람이니, 지원한 사람 중 가장 닮은 사람을 뽑은 것이잖아요. 그러면 그 뽑은 사람이 잘못했거니 혹은 잘못 가르친 부장님의 잘못이 되는 것이죠.

내 밑에 직원이 실수를 했다. 그러면 그것은 누군가 잘못 알려주었기 때문이에요. 이번 장의 처음 부분에 나왔던 상황, 밑에 실무진이 잘못을 해서 일정이 꼬였을 때. 이것은 실무진의 실수일 수 있지만, 그 실무진의 오차범위를 미리 관리해주지 않은 관리자의 책임도 있다는 것. 그러니 밑에 있는 분들에게 너무 나무라지 않았으면 좋겠어요. 지금 제가 너무 밑의 실무진 편을 드는 것처럼 들린다구요?

최부장님, 저도 외국계기업에서 일을 할 때 Senior 급 매니져였어요. 얼마나 밑에 있는 사람들 탓을 했겠어요. 무지했죠. 그렇게 실무진들을 박살내고

화를 내니까 결국 실무진들이 다 떠나더라구요. 말수도 줄어들고 사무실도 삭막해지고 실수한 것들에 더 매몰되구요. 실수를 집어주는 것은 필요하지만, 감정을 넣어서 영혼을 박살낼 필요는 없다는 것이에요. 오히려 이럴 때 유머를 조금 더해서 보듬어 준다면, 그 직원은 최부장님께 충성 다해 일하는 부하 직원이 될 것이에요.

서문에서도 말씀드렸지만, 저는 정말 원색적으로 감정을 표현하는 편이었어요. 직책이 있다보니, 어떻게든 결과를 만들어내야 된다는 생각밖에 없었거든요. 그때는 그것밖에 답이 없었다고 생각이 들었는데요. 지금 뒤돌아보니, 조금은 여유를 가져도 좋았을 것 같아요. 원색적인 감정표현은 그 순간 바로 행동을 교정할 수 있지만, 장기적으로 봤을 때는 좋은 결과를 주지 못 했었거든요. 오히려 유머를 구사해서 직원 스스로가 변화되고 관계를 더 돈독하게 만들었다면 어떠했을까 하는 아쉬움이 많이 남아요. 그래서 드리는 말씀이에요. 최부장님, 조금 더 많이 웃어주세요. 그리고 원색적인 감정들의 표현은 좀 더디게 해주세요.

그렇게 하실 때 최부장님의 유머는 실무진들의 입에, 바이어의 입에 미소를 짓게 할 수 있을 것이에요. 더 나아가서 최부장님 스스로에게 더 큰 미소를 얹어줄 수 있을 것이에요.

말이 길었네요 이 다음 던질 What 을 정리해드릴게요.

[What]

내가 어쩔 수 없어서 남탓을 하는 행위

남탓을 할 때는, 그 사람이 그런 대우를 받아도 된다고 여기게 되요

탓한다는 것은 잘못에 대한 책임을 전가하는 것이에요

남탓하는 것은 건강하지 못한 감정을 불러 일으켜요, 분개, 화냄, 분노 같은 것이요

남탓을 하는 것은 내가 죄책감에서 벗어나려는 것이에요

탓하기는 아주 쉽고 효율이 좋은 전략이죠. 내가 예민할 때요.

The act of blaming others for something that is not within our control

Once I blame someone, I then think they deserve to be treated

Blame is defined as assigning responsibility for a fault or wrong

Blaming others leads to several unhelpful emotions, such as resentment, anger, and hatred.

The reason why people usually blame others is that it's a quick escape from guilts

Blame is an incredibly easy and effortless tactic to use when we feel defensive

남탓하기라는 주제를 이야기할 때 위의 말들을 적절히 섞어주면서 대화를 이끌어가시면 잘 할 수 있겠죠? 다시 한 번, 대화를 할 때 가장 중요한 것은 상대방에게 어떤 가치를 전달하는가에요. 위의 표현들이 가지고 있는 가치가 최부장님과 맞지 않는다면, 사용하지 않는 것이 더 안전하고 좋은 결과를 얻을 수 있어요.

그것이 아니라 나는 위의 영어 표현들과 말들을 바이어에게 쓰고 싶다. 그러시면 저 말들을 연습하기 이전에 최부장님이 저런 사람이 되어 있어야 해요. 그리고 나서 저런 말들을 사용해야지 진정성 있게 바이어에게 전달되거든요. 그리고 사람은 육적인 동물이 아니라서 상대방이 하는 말을 듣고 상대의 진정성을 느낄 수가 있어요. 부하에게 하대하고 남탓만 하는 사람이 위와 같은 말들을 앞에서만, 말로만 한다면 상대방도 당연히 눈치를 채겠죠?

최부장님이 말로만 개그를 던지는 것이 아니라, 행동으로 그리고 삶으로 사람들을 미소짓게 하는 유머인이 되기를 바라며, 이번 챕터를 마치겠습니다. 파이팅!

3장.

소통의
가위. 바위. 보.

" 입장이 다르면 불편한데,
   그렇다고 같은 입장이 된다고
   좋은 것만도 아니에요 "

- Same perspective does not
  guarantee that we stand in
  solidarity

사람은 사회적 동물이기 때문에 홀로 있는 것을 거부한다고 해요. 물론 홀로 있는 시간을 즐기는 사람은 있죠. 홀로 있다 하더라도 사회적으로는 연결된 상태인 것을 원한다는 것이에요. 사회적으로 연결되었다는 것이 각자의 가치관에 따라서 조금 다를 수는 있는데요. 이것이 어떤 모임으로 연결된 것일수도 있고 혹은 소셜 미디어로 연결된 것일 수도 있어요. 이 모든 연결의 공통점이 무엇인지 아시나요?

그것은 바로 '같은 입장'이라는 것이에요. 서로 공통된 연결점을 만들기를 원해요. 보다 강력한 연결점을 우리는 '소속감'이라고 부르거든요. 이 소속감을 위해서 우리는 공통점을 찾으려고 노력해요. 한국인들은 특히 더 그래요. 그래서 그런 말이 있잖아요. 학연, 지연, 혈연. 뭐든 하나만 엮이면 같은 입장이라고 생각하는 것이죠. 이것은 한국인들이 유독 더 심한 것 같아요. 외국인들과 대화하면 이런 경향성이 줄어들거든요. 다시 말하지만 경향성이 줄어든다고 해서 그들이 배타적으로 홀로 존재한다는 것은 아니에요. 때문에 소속감, 혹은 유대 연대라는 이야기를 할 때 나누면 좋은 유머를 나눠드릴게요.

유대감, 연대감에 대한 이야기를 나누실 때 쓰면 좋은 이야기에요. 같은 팀인줄 알았는데 알고보니 아니었다. 나와 소속이 같아서 생각이 같을 줄 알았는데 그것도 아니더라. 예를 들어서 해외 나오면 모국이 같은 사람을 만나기 힘들잖아요. 모두다 외국인인데 그중 한 명 같은 나라 사람이 있으면 엄청 친근하고 같은 편 같잖아요. 그래서 서로 마음이 잘 맞는다고 생각했는데, 알고 보니 그 사람은 동포들을 대상으로 사기를 치는 사람이었을 수 있는 것이죠. 이런 류의 상황에 쓰면 좋은 유머입니다. 바로 Why 를 던질게요

[Why]

Sharing something in common doesn't always work in your favor.

같은 관점을 가졌다는 것이 유대감을 보장해주지는 않죠

일반적으로 같은 관점을 가지면 유대감을 갖는다고 생각을 하잖아요. 그래서 서로의 공통점을 찾기 위해 힘을 기울이는 것이구요. 그런데 그 반대의 이야기를 했으니 바이어의 귀를 끌어당길 것이에요.

이 말을 한 다음에 한국인은 외국에서 같은 한국인을 믿지 않는다. 이런 류의 이야기를 꺼내도 좋은데요. 이렇게 하면 너무 우리나라가 없어 보이니까, 다른 나라로 바꿔서 이야기를 하는 것도 괜찮아요. 제가 해외 살고 있을 때에도 한국인이 한국인 대상으로 사기 치는 것을 많이 듣고 보았는데,

부끄럽기도 하고 화도 나더라구요. 무튼 이 Why 를 던지고 나서 바로 How 를 던지겠습니다

[How]

이것은 제가 들은 이야기인데요. 같은 관점이 누군가의 믿음을 저버린 것이에요

고대 로마시대에 있던 이야기인데요

한 무고한 기독교인이 사자한테 쫓기는 것이에요

그 기독교인은 도시거리로 달려가고, 숲으로도 들어갔어ㅏ요

나무들 사이로 이리저리 도망간 것이죠

그런데 결국 희망이 없다는 것을 알게 되요, 사자가 잡았거든요

그래서 그 기독교인이 갑자기 뒤를 돌더니, 사자를 눈앞에 두고 무릎을 꿇는거에요

"주님," 간절하게 기도하는 것이죠, "이 사자가 기독교인이 되게 해주세요."
기도가 끝나기가 무섭게 사자는 무릎을 꿇는거에요, 그리고 기도하죠
이렇게 말이에요. "오늘도 일용할 양식을 주신 주님께….”

I heard this story, a tale that goes all the way back to ancient Roman times.

An innocent Christian man was being pursued by a lion.

He ran through the city streets and into the woods,

Dodging back and forth among the trees.

At last It became obvious that it was hopeless the lion was going to catch him

So he turned suddenly, faced the beast and dropped to his knees.

"Lord," He prayed desperately, "turn this lion into a Christian."

Instantly the lion dropped to its knees and prayed.

It said, "Heavenly Father, thank you for this bountiful meal···"

이런 생각이 들어요. 사람들은 연대감, 소속감을 느끼고 싶어하잖아요. 그리고 또 다른 누군가는 그 감정들을 이용하고 싶어 하는 사람들도 있다는 것이에요. 제가 외국살이를 해서 그런지 모르겠지만, 외국에 있을수록 더 조심하게 되더라구요. 나에게 친절을 베푸는 사람들, 아무런 이유 없이 도움을 주는 사람들, 그리고 친한 척 다가오는 사람들. 이런 사람들을 보면 감사한 마음이 들기도 하지만 한편으로는 이 사람이 나에게 무엇을 요구하려고 다가오는 것일까 하는 불안감도 들더라구요.

이렇게만 생각하는 것은 너무 부정적이니까, 다른 방식의 것도 나눠드릴게요. 같은 연대감을 공유한 사람도 결국에는 타인이라는 것이에요. 심지어 가족과 식구라고 해도 서로 생각이 다른 것이 사람이잖아요. 생판 모르는 남과는 싸울 필요가 없어도, 가족과는 매일 부딪치며 생활하기 때문에 마찰이 있잖아요. 그만큼 내가 신경을 쓰는 것이고 또 그만큼 내가 애정을 주었기 때문에 마찰이 있는 것이죠.

그리고 잊지 말아야 할 점. 최부장님의 밑에 있는 실무진들은 같은 팀에 있고 같은 업무를 한다고 해도 최부장님 자기 자신이 아니라는 것. 팀원들이 최부장님을 기도하는 사자라고 생각할 수 있잖아요. 물론 최부장님은 위에 상무님을 기도하는 사자라고 생각할 수도 있겠지만요. 그럴 때 해결책이 무엇인지 아시나요? 바로 이 책을 상무님에게 선물하는 것이에요. 눈치챘을 수도 있지만, 만약 팀원이 최부장님에게 이 책을 선물했다면 정말 쌘쓰 있는 팀원을 옆에 두신 것이에요. 이번 장도 웃고 넘어가셨으면 좋겠습니다. 최부장님 파이팅.

3장.

소통의
가위. 바위. 보.

" 눈에 보이는 것이 다는 아니죠 "
- Things are not always as they
  seen.

삶을 살다 보면 '혜안'이라는 것이 생긴다고 합니다. 겉으로 보이는 표면적인 것이 전부가 아니라, 그 아래 혹은 내면 깊숙한 곳에 위치한 본질을 보는 눈이 생긴다는 것인데요. 이런 것이 꼭 필요한 이유가 있습니다. 왜냐면 눈에 보이는 것이 다가 아니기 때문이에요. 이런 상황은 아주 쉽게 마주할 수 있는데요. 이번 장에서는 특별히 남녀관계, 부부관계에 관한 유머를 나눠 드릴게요.

서양은 개인주의가 강하고 남자들이 마초적인 성향을 지녔다고 생각하잖아요. 그런데 의외로 부부관계에 있어서는 한국과 별 다르지 않다는 것을 알 수 있어요. 한국도 남자들이 여자들의 말을 따르잖아요. 집안의 경제권부터 시작해서 대소사를 결정할 때 여성들이 많은 결정권을 지고 있는데요. 서양도 마찬가지에요. 외국인들 대부분이 다 이런 경향성을 가지고 있어요. 제가 동남아시아에서 생활해 봤는데. 유교문화가 발달한 베트남도 열외는 아니더라구요. 때문에 이것은 만국공통성향으로 봐도 될 것 같아요. 아 물론 히잡을 쓰고 다니는 곳, 원시민족들, 인도, 이른 곳들은 여성인권이 바닥이니 열외에요.

외국인 바이어와 남녀관계에 대해서 이야기를 나눌 때, 혹은 부부관계에 대해서 이야기를 나눌 때 Why 를 던지면 됩니다. "Things are not always what they seem to be" 모든 것들이 항상 눈에 보이는 것처럼 그런 것은 아니에요. 라는 말인데요. 남녀간의 관계가 남들 눈에 보이는 것처럼 단순하지 않다는 것을 말하는 것이죠. 너무나 당연한 이야기이기 때문에 바이어도 쉽게 수긍을 할 거에요. 그때 바로 How 를 던질게요.

[How]

제가 재미있는 이야기 하나 해드릴게요, 남녀관계에 관한 것인데요

남성의 힘에 대한 진실이죠

뭐냐면

사람들이 죽고 천국에 갔을 때에요

하나님이 와서 말하는 것이죠, "두 줄을 서라"

"첫 번째 줄은 아내를 다스렸던 남자, 다른 줄은 아내에게 다스림을 받은 남자"

아내에게 다스림을 받은 남자 줄은 100 마일이 넘었어요

그리고 반대편 줄은 딱 한 명이 서 있었죠

그래서 신이 말하는 것이에요 "너희 남자들아 부끄러운줄 알아라"

"내 형상대로 너희를 만들었는데, 어찌 여자들에게 휘둘렀느냐. 여기 이 한 명을 보아라. 나는 이 남자가 너무나 자랑스럽구나. 다른 남자들에게 네가 어떻게 여기 서 있을 수 있었는지를 말해주어라."

그러자 그 남자가 대답했어요. "제 아내가 저보고 여기 서있으라고 해서요."

[How]

Here's a story explaining the relationship between men and women

You've probably heard of the expression like, 'man of the house,' right?

Well, everyone on earth died and went to heaven.

God comes and says, "I want you all to stand in two lines."

"The men who were dominant in their relationship stand on one line and the other, men who were inferior to their wife."

And the men who were less dominant in their relationship gathered into one line and it grew so much that it went for a hundred miles.

In the other line, there was one man.

God said, "You men should be ashamed of yourselves."

"I created you in my image and you were all inferior to your partners. Look at the only one that stood up and made me proud. Tell them how you manage to be the only one in this line."

The only one man replied, "My wife told me to stand here."

다른 사람들과 공감하기 좋은 내용이에요. 게다가 남자가 남자한테 하면 아주 좋은 유머이기도 하구요. 서로 공감대를 형성할 수 있고, 웃음도 줄 수 있는 유머기 때문에 꼭 준비해서 한 번 사용해보시는 것을 추천드려요.

이번 장에서는 특별히 What 에 대해서 말씀드리지 않을게요. 최부장님이 사모님과 함께 생활을 하면서 겪었던 에피소드들을 하나 정도 생갛해서 What 을 던져주시면 돼요. 아침 기상문제, 음식물 쓰레기 문제, 분리수거 문제, 등등 아무거나 하나 미리 준비해두시면 좋을 것이에요.

마지막으로 사실 남자가 여자의 말을 따르는 것은 져주는 것이 아니라, 넓은 포용력이라고 생각해요. 남녀관계라는 것이 한쪽이 다른 한쪽과 싸워서 이기고 지는 관계가 아니잖아요. 라이벌 관계도 아니고 말이에요. 대신에 부부는 서로 하나라고 하잖아요. 상대방이 나고 내가 상대방이다. 이성적으로는 무리하는 경향이 있다고 하더라도 상대방의 감정이 너무 강할 때는 그것을 배려하고 양보하는 것. 그것이 남자다움의 상징이죠. 그래서 여자의 말을 무조건 적으로 따른다. 혹은 여자한테 져줘야 한다. 이런 식의 말들은 좋은 말들이 아니에요. 내가 배우자를 사랑하기 때문에 배우자에게 배려한다. 이렇게 말하는 것이 좀 더 남자답고 멋있잖아요. 무튼 최부장님 남자답게 멋있게 유머를 날려주세요.

3장.

소통의
가위. 바위. 보.

" 나는 언제든 부정속에서
  긍정을 찾아낼 수 있다고 믿어요 "

- There is always a way to turn
  negativity into positivity

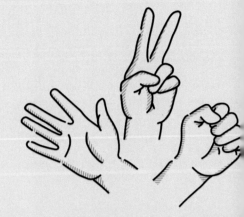

불행이라는 것은 바퀴벌레 같아요. 밝은 데서는 보이지 않다가 어느 순간 툭 하고 튀어나오잖아요. 더 최악인 것은, 한 마리가 보이면 얼마 안 가서 또 다른 놈이 나온다는 점이에요. 한 마리 바퀴벌레 뒤에는 100 마리 바퀴벌레가 숨어있다는 말이 진짜인가봐요. 여기 저기 숨어 있다가 어느 순간 후다닥하고 나오는 불행들. 계속 잘 숨어있으면 좋을텐데 말이에요.

제 인생에 그런 바퀴벌레가 참 많았던 것 같아요. 원하는 대학을 들어가지 못했던 19 살, 이것도 도전이라고 했던 재수생활, 결국 첫 시험보다 떨어진 성적을 받은 삼수결과. 28 살 군대에서 전역한 늦깎이 취준생. 토익, 토플, 자격증 하나 없이 1 년간 시간을 보낸 백수생활. 하나만 있어도 충분한데, 그 뒤에 숨어서 나를 약 올렸던 얄미운 불행들.

반지하 곰팡이 나는 곳에서 새벽마다 일어나 거울을 보면서 저 스스로에게 했던 말이 있어요. 객관적으로 봐서 좋을 것 하나 없고, 능력 없고, 경력 없는 백수 문과생 28 살

"나는 오늘 더 매력적으로 성장할 것이다. 오늘 더 멋있어질 것이다."

제가 가지고 있던 현재의 것들을 부정하지 않고 온전히 바라보는 연습을

하면서, 정직하게 되뇌었어요. 이렇게 하는 것이 행복을 연습하는 과정이라고 생각했기 때문이에요. 나는 오늘도 행복을 결정했다고 말이에요. 그리고 그때 제가 저한테 던졌던 말이 이 말이에요. "There is always a way to turn negativity into positivity"

"언제든 부정을 긍정으로 바꿀 수 있다." 저는 지금도 믿어요. 언제든 무슨 상황이든 부정을 긍정으로 바꿀 수 있다구요. 특히 부정적인 사건들이 연속으로 일어날 때, 짜증나는 상황이 계속해서 벌어질 때, 그때마다 마음을 꽉 다잡고 스스로에게 말해요. 나에게 던지는 유머인 것이죠. 그래도 부정을 긍정으로 바꿀 수 있다.

바이어와 대화를 하면서 이런 류의 이야기가 흘러나올 때, 구사하기 좋은 유머 드릴게요. 이 유머는 제가 저한테 구사했던 유머입니다. 상황은 계속해서 악화되고 있고 객관적으로 보기에 좋은 점이 하나도 없다고 느껴질 때, 그때 구사하시면 됩니다. 시작은 Why 를 던지는 것이에요. 위에서 던진 Why 를 그대로 던지시면 됩니다. 그리고 How 를 구사해볼게요

[How]

제가 아침에 일어나서요

제일 먼저 하는 것이 뭐냐면요, 전신거울 앞에 서는 거에요

그리고 저 스스로를 찬찬히 살펴보는 것이죠

나도 알아요

거울을 보면, 이상한 놈이 있다는 것. 얼굴은 쳐지고, 가슴은… 아니 젖은 늘어져있는 뚱뚱하고 쳐진 남자."

그런데 여기서 멈추면 안되요

계속해서 말하는 것이죠. "문제를 푸는 방법은 문제가 있다는 것을 인정하는 것이다."

"최소한 제 눈에는 문제가 없다는 뜻이잖아요."

그러면 아는 거죠. 아 내가 자기객관화는 잘하는구나

[How]

When I get out of my bed in the morning.

The first action I take, is to go stand in front of a full-length mirror

and I am taking a hard look at myself

Telling myself, "I know"

"I look in the mirror and I see a jerk. My face is sagging, my chest⋯ no my boobs are hanging out a mile. fat, flabby, man."

but this is not the point where I stop

I continue, "The first step in a problem is admitting there is one"

"There is at least nothing wrong with my eyesight"

This shows me my metacognition is okay

앞에 장에서도 말씀드렸지만, 제가 좋아하는 종류의 유머에요. 나 자신을 낮추면서 웃음을 유도하는 유머니까요. 자기 스스로를 낮출 수 있을 정도로 자신이 있는 사람만 구사할 수 있는 유머에요. 왜냐면 자존감이 바닥에 떨어진 사람은 스스로를 낮출 수 없는 상태거든요.

중요한 것은 부정적인 상태에 있지 않아요. 상황은 언제든 바뀔 수 있는 것이니까요. 상황에 매몰되면 유머를 구사할 수 없고, 그 상황에서 빠져나올 수 없어요. 그런데 그 상황을 객관적으로 볼 수 있고, 낮아질 용기가 있다면, 충분히 웃을 수 있어요. 속이 아리고 마음이 무너지는 듯해도, 인생이라는 것이 그렇게 쉽게 부서지지 않으니까요.

그리고 이런 자기객관화가 잘되는 사람이 결국 더 많이 웃을 수 있는 것 같아요. 객관적이 상황이 나쁜데, 그 상황을 인지하지 않는 것은 상황회피 잖아요. 혹은 그 상황이 나쁜데 좋다고 말하는 것은 스스로에게 가스라이팅을 하는 것이구요. 상황을 피하지 말고 정면으로 받아들이면서 가스라이팅 하지 않는 것. 그러려면 객관화를 잘해야 하고, 그 객관화한 상황에서 어떻게 빠져나올지 연구해야죠. 이런 것을 잘하면 가위바위보도 잘할 수 있고, 타인에게 유머도 잘 구사할 수 있어요. 제가 그랬으니까요.

이번 유머를 구사할 때 주의해야 할 점. 마지막 두 줄의 멘트를 날릴 때는 멋쩍은 웃음을 지어주어야 해요. 상대방도 웃을 수 있게요. 그리고 이 정도 부정적인 상황은 나에게 있어서 아무것도 아니라는 여유가 있어야죠. 그런 여유와 자신감 속에서 내가 통제할 수 있는 부정적인 상황들이라는 느낌을 상대방에게 준다면, 이 유머는 성공할 것이에요.

반대로 앞에 있는 상황을 말하는 것이 너무 힘들고 나 스스로를 낮추는 것이 고통스러운데, 억지로 한 단어 한 단어 곱씹으면서 뱉어낸다면, 마지막 두 줄의 멘트에서 진정성이 없겠죠? 여유도 없고 자신감도 없고 자기객관화 능력도 없는 놈이 괜히 있는 척하면서 말하는 것은 멋이 없으니까요.

이렇게 How 도 여유와 멋을 가지고 던지셨다면, 바이어와 한 바탕 웃음시간을 갖을 것이에요. 여기서 멈추면 믿기 씁쓸한 느낌을 지울 수 없잖아요. 아무리 내가 여유가 있고 자기객관화 능력이 출중한다 하더라도 객관적으로 좋지 않은 상황이라는 것은 바뀌지 않으니까요. 그래서 그 다음에 What 을 던져주셔야 해요. 현재 상황이 좋지 않다는 것을 알고 그것을 객관화하면서 여유롭게 유머화할 수 있는데, 그렇게 웃음을 줄 수 있는 이유는 앞으로 최부장님이 바뀔 것이라는 믿음과 의지가 있기 때문이죠. 현재는 좋지 않은 상태이지만 앞으로는 좋은 상태가 될 것이다. 이것에 대한 마지막 메시지를 던져야하는데, 그것을 위해 What 을 준비했습니다.

물론 여기서 What 은 조금씩 변형될 수 있어요. 최부장님이 생각하기에 할 수 있을 만한 것들로 변형을 해서 사용하면 좋을 것 같아요. 진정성을 넣기 위해서는 실제 최부장님이 실천하고 있는 것으로 하면 좋아요. 예를 들어서, 쳐진 가슴에 근육을 만들고 싶어서 헬스 트레이닝을 받고 있다. 매일 새벽 5시에 헬스장을 간다. 이렇게 말하면 진짜 더할 나위 없이 좋은 What 이 되겠죠.

그런데 최부장님이 하고 있지 않은 것을 하고 있다고 말하면 진정성이 많이 떨어지잖아요. 그러니까 여기서는 최부장님의 삶을 먼저 디자인하시고 그것에 맞는 What 을 붙여 넣는 것이 좋아요.

사람을 더 건설적이고 매력적으로 만드는 것은, 제 기준으로 크게 2가지 정도가 있어요. 첫 번째 운동. 두 번째 독서에요. 운동은 줄넘기, 달리기, 수영, 헬스트레이닝 다 좋아요. 제가 외국인 바이어와 이야기를 할 때 가장 많이 이야기하던 주제는 달리기였어요. 저는 지금도 일주일에 2~3번씩 꼭 3Km 이상을 달리거든요. 이 달리기를 통해서 러닝화에 대해서 이야기할 수 있고 달리는 코스에 대해서 말할 수도 있고, 달리기 시합에 대해서 말할 수도 있어요. 물론 골프에 대해서 이야기한다면 바이어와 같이 골프를 칠수 있겠죠?

한 가지 더, 저는 독서도 추천을 드려요. 운동은 겉모습만 멋있게 하지만 독서는 사람의 말을 멋있게 만들거든요. 그리고 그 사람이 하는 말에 품격을 더해주는 행위이기 때문에 정말 매력적인 활동이에요. 어떤 독서를 시작해야 할지 모르겠다면, 가장 추천드리는 책은 <바이어를 미소 짓게 한 최부장의 영어유머>를 추천드립니다.

[What]

이것은 나쁜 긍정이 아니에요. 왜냐면 나쁜 긍정은 내가 개선하기 원하지만 뭘 할지 모를 때 일어나는 것이거든요. 저는 제가 뭘 해야 하는지 알아요.

나쁜 긍정은, 사람들이 기분만 좋게 만드는 것이잖아요, 그런데 일반적으로 결과가 좋지 않죠

저는 부정적인 것을 없애려고, 나는 보통 토요일마다 달리기를 해요

달리기의 장점은, 심장건강, 체중감소, 스트레스 감소…

지난 주말에 책을 한 권 읽었는데요, 진짜 부정은 악성 긍정이래요, 왜냐면…

This is not toxic positivity because it happens in situations when I want to enhance but I don't know what to do. I know what I am supposed to do

With toxic positivity, people want to make someone feel better, but it does not typically have the desired effect.

In order to get rid of my negativity, I go to run every Saturday

The benefits of jogging are heart health, weight loss, and reducing stress…

Last Sunday I read a book, it said, "Real negativity is toxic positivity. Because…."

저는 과도한 긍정주의를 지양해요. 하지만 동시에 염세주의도 좋아하지 않죠. 장기적으로는 긍정적인 것을 꿈꾸고 단기적으로는 객관적으로 바라보는 것을 좋아해요. 여기서 '객관적'이라는 것은 문학적 표현이에요. 자신이 처한 상황은 객관적으로 보려고 해도 부정적으로 보일 수밖에 없거든요.

이 부정이라는 것을 얼마나 객관적으로 볼 수 있느냐, 그리고 그 객관화 한 것을 얼마나 긍정적인 미래로 그려낼 수 있느냐. 이것에 따라서 그 사람이 구사할 수 있는 유머역량이 달라지는 것 같아요. 이때 주의해야할 점은 '과도한 긍정주의', '막연한 긍정주의' 그리고 객관화할 수 없이 힘든 '부정적인 감정들'이에요.

쉽지 않지만, 저는 믿어요. 최부장님이 결국에는 멋지게 그리고 여유 넘치게 유머를 구사하실 것이라구요. 그럴 때 남들의 기분을 좋게 만들고 장기적인 긍정으로 사람들에게 좋은 영향력을 줄 것이라구요. 다시 한 번 긍정의 유머를 최부장님께 드립니다. 파이팅.

장.

소통의

가위. 바위. 보.

" 진짜 해결사는
눈에 보이는 것에 현혹되지 않아요 "

• A fundamental problem solver is
not blinded by something appears
to their eyes

언어라는 것은 일종의 프레임 싸움이에요. 내가 나아가기 원하는 방향으로 상대방을 끌어 들이는가? 아니면 반대로 상대방이 원하는 방향대로 내가 끌려가는가? 둘 중 하나가 대화 속에서 주도를 해요. 상대방이 원하든 원하지 않든, 반대로 내가 원하든 원하지 않든 상관이 없어요. 대화와 소통이라는 것은 결국 누군가가 주도를 해서 이야기를 이끌어 나간다는 뜻이 거든요. 예를 들어 드릴게요.

저랑 최부장님이 고기집에서 고기를 먹었어요. 다 먹으니까 어떤 종업원분이 오셔서 저희들에게 묻는 것이에요. 이 때 종업원이 저희들에게 질문을 던지는 것 혹은 대화를 시도하는 것 자체가 이미 종업원은 이야기를 이끌어 나가는 상태인 것이에요.

"후식은 비빔냉면으로 드실래요? 아니면 물냉면으로 드실래요?"

여기서 종업원이 이미 방향상을 만들었기 때문에 주도권을 종업원이 가지고 있어요. 대답은 최부장님과 제가 해요. 하지만 이 대화의 흐름을 종업원이 만들었죠. 왜냐면 이 질문에 대해서 최부장님은 일반적으로 이렇게 대답할 것이기 때문이에요.

"저는 비빔냉면이요."

"저는 물냉면이요."

너무나 당연한 이야기이겠지만, 종업원은 질문을 통해서 이야기의 주도권을 가져갔어요. 그렇다면 여기서 주도권을 종업원에게 주지 않는 방법은 무엇일까요? 그것은 주도권을 얼마만큼 빼서 올지를 정해야 하는데요. 크게 두 가지로 나뉘어요. 주도권을 적당히 가져오는 것과 완전히 가져오는 것. 만약에 적당히 가져오고 싶다면 이렇게 말씀하시면 돼요.

"이 후식은 서비스로 주는 것인가요? 아니면 저희가 돈을 지불해야 하나요?"

"지금 주려고 하는 것은 후식 냉면인가요? 아니면 보통 냉면인가요?"

"냉면류 말고 찌개류도 있나요?"

이런 식으로 종업원이 주도했던 대화의 흐름을 최부장님께로 돌릴 수 있어요. 이런 대답을 하시면 종업원은 자신이 의도했던 것과는 다른 방향으로 대화가 흘러가지만, 그래도 원하는 정보를 얻기 위해서 최부장님의 리드를 따라갈 것이에요.

한 발자국 더 나아가서, 주도권을 완전히 뺏는 방법도 있어요. 종업원이 후식을 먹을지 말지를 물어보는 이유는, 매출을 증대시키기 위해서 추가 주문을 받는 것으로 볼 수 있는데요. 물론 후식을 서비스로 주는 경우에는 해당사항이 없어요. 다만, 후식을 공짜로 주지 않는데, 위와 같은 방식의 질문을 던졌다면, 그것은 음식점주님이 매출증대라는 의도를 가지고 종업원을 교육시킨 것이에요. 그리고 이런 흐름 자체를 차단하고 주도권을 완전히 가져오는 방법은 다음과 같이 말하는 것이에요.

"손님이 부르지도 않았는데, 이렇게 다가와서 물어보는 것이 맞나요? 사장님은 종업원을 그렇게 교육을 시키셨나요? 저희가 불렀을 때 오는 것이 맞는 것 같은데요."

이렇게 말하면 주도권을 완전히 가져올 수 있어요. 하지만 이것은 조금 날카롭고 상대방에게 공격적으로 들릴 수 있다는 단점이 있죠.

대화 주도권을 빼서 온다는 것은 원래 상대방이 가지고 있던 것을 가져오는 것이기 때문에 공격적일 수밖에 없어요. 그래서 주도권을 조금만 가져오는 것이 좀 덜 공격적이에요. 여기서 조금 부드럽게 돌려서 말할 수도 있는데요. 그래도 상대방의 리드를 가져온다는 면에서 보면 공격적인 성향이 드러날 수밖에 없는 것이죠.

여기서 한 가지 더 추가 특징을 집어 드릴게요. 처음에 주도권을 가진 사람은 정보를 단편화해서 타인을 대화에 끌어들이는 경향이 있어요. 그래서 그 주도권을 빼앗으려면 상대방이 숨긴 정보는 무엇이고, 어떤 방향성으로 움직이길 원하는지 알고 있어야해요. 반대로 말하면, 내가 주도권을 가질 때는 상대방이 생각하지 못한 것을 기준으로 대화를 이끌어가면 상대방은 조심스럽게 따라올 수밖에 없어요. 위에서는 처음 종업원의 질문에서 이 후식이 무료로 제공되는지에 대한 정보를 단편화해서 숨긴 셈이에요. 대화와 소통이라는 것은 전제부터 서로 다른 프레임을 가지고 있는 주체들이 공통의 부분을 통해서 전체를 맞춰가는 것이에요.

대화와 소통 그리고 주도권과 프레임이라는 주제를 이해하셨다면, 이제 다음의 유머를 구사하기 적절한 조건을 다 갖추었어요. 조금 어려운 내용이어서 위의 내용은 몇 번 더 읽어 보는 것을 추천해요. 대화와 프레임이라는 원론을 축약해서 설명한 것이기 때문에 다른 것에 적용하려면 조금 어려워요.

이번 장에서 구사하는 유머는 위의 상황과 같아요. 대화의 주도권 싸움에 관해서 이야기가 나오면 할 수 있는 내용이에요. 물론 대화라는 것이 전부다 주도권이라는 것을 가지고 있기 때문에 어떨 때든 사용할 수 있는 것이죠. 선택과 프레임, 그리고 결정과 문제해결, 이런 류의 이야기가 주류를 이룰 때 쓸 수 있는 유머입니다.

[Why]

진짜 해결사는 눈에 보이는 것에 현혹되지 않아요

"A fundamental problem solver is not blinded by something appears to their eyes"

이번에도 이런 신념으로 시작합니다. 이 신념은 눈에 보이는 것에 현혹되지 않아야 진짜 해결사다라는 것이죠. 이 말에 동의를 한다면 고기집에서 종업원이 던진 질문을 보다 입체적으로 이해할 수 있게 돼요. 문제를 해결을 하거나 대화를 리드하는 사람은 눈에 보이는 것에 집착하지 않는다. 보다 근원적인 해결책은 무엇인지, 보다 원론적인 방법이 있지는 않나 고민한다는 것이죠. 바로 How 를 던지겠습니다.

[How]

제 친구는 저한테 수수께끼 문제를 던지곤 하는데요

우리가 좋은 해결사인지 아닌지 구별할 수 있는 좋은 수수께끼가 하나 있어요

만약에, 우리가 평범한 욕조 하나를 비워야 한다고 가정해볼게요

제 친구가 티스푼, 찻잔, 그리고 바가지를 제공해주었어요

이 욕조를 비우기 위해서 당신은 무엇을 고르실 것인가요?

10 초 줄게요

아마도 바가지를 골랐겠죠? 저처럼요? 그죠?

제가 생각하기에 유능한 사람은 바가지를 쓸 것 같았어요 왜냐면 바가지가
숟가락이나 찻잔보다 크잖아요

이렇게 생각했다면, 당신도 낚인 것이에요

정답은 욕조 마개를 당긴다에요.

[How]

My friends like to throw riddles

Here I have a good one for him to tell we are good solvers or not

Let's suppose we have to empty a bathtub

My friend offered a teaspoon, a teacup and a bucket us

And he asked us to empty the bathtub

What will you choose?

I will give you 10 seconds

You might choose a bucket as I did, do you?

I thought a competent man would use the bucket because it is bigger than the spoon or the teacup.

If you thought like this, you are in a trap

The answer is, pulling the plug.

최부장님도 문제를 같이 풀어보셨나요? 풀었다면 무엇을 골랐나요? 당연히 상식적으로 생각하면 바가지를 고르는 것이 맞지 않을까요? 왜냐면 저도 바가지를 골랐거든요.

그런데 조금만 더 생각해보면 웃긴 선택이에요. 우리가 욕조를 비울 때 바가지로 비우지 않잖아요. 그냥 욕조 마개를 당기기만 하면 되는데 말이죠. 그런데 앞에 문제를 낸 사람이 욕조 마개라는 선택지를 말하지 않고 3가지나 선택지를 주면, 우리는 그 선택지에 집중하게 돼요.

지금 이 상황과 유머가 무엇과 겹쳐 보이지 않나요? 예, 바로 제가 처음에 언급했던 상황과 똑 같은 상황이죠. 고기집에서 고기를 다 먹었는데 종업원이 와서 저희에게 후식을 뭘로 먹을지 물어보는 것이요. 해당 후식이 무료로 제공이 되는 것인지 아니면 유료인지 말하지 않은채, 그냥 주문을 한다면 손님들은 돈을 추가로 내야 하겠죠.

위의 유머에서도 마찬가지에요. 다른 조건들을 말해주지 않고 눈 앞에 선택지를 무려 3개나 주잖아요. 그러면 선택지를 받은 사람은 아무런 생각 없이 선택지 중에서 가장 좋은 것을 선택한단 말이에요. 그리고 그 선택지가 눈 앞에 보이는 것 중에서 가장 좋은 것이니까 확신을 하게 되죠. 이렇게만 하면 된다고 말이에요.

그런데 이런 단순한 커뮤니케이션에서도 우리는 우리 눈 앞에 보이는 것이 전부라고 생각하고, 내가 한 선택이 최고의 것이라고 생각하잖아요. 한 발자국 떨어져서 보거나 다른 상황에서 선택을 한다면 절대 하지 않을 선택을 만족하면서 한단 말이에요. 방금전에 최부장님이 했던 선택처럼요. 바이어에게 이 유머를 던졌다면, 바이어도 동일한 경험을 했겠죠? 최부장님과 바이어가 같은 경험을 공유한다면 그 다음에 나오는 말들은 공감하기 편해요.

여기서 주의해야 할 점은, 바이어를 속인다는 생각으로 던지면 안 된다는 점이에요. 나도 이런 선택을 했고, 누구나 똑 같은 선택을 한다. 그리고 이 유머를 들은 당신도 같은 선택을 선택했다. 우리는 모두 눈 앞에 있는 것에 현혹되기 쉽다. 이것을 강조해야 공감대 형성에 좋아요.

여기서 마무리 지은다면 역시나 아쉽겠죠? 이 유머를 구사하고 마지막으로 What 을 던지다면, 정말 유쾌하고 기분좋은 대화가 될 것이에요. 바로 What 도 정리해드리겠습니다.

[What]

우리가 한발자국만 떨어져서 상황을 봤더라면, 다른 선택을 했을 것이에요

상황에 집착하면, 아주 단순한 해결책을 못 보는 법이죠

저는 제 눈앞에 보이는 선택지가 전부라고 생각했어요

If I took a step back, I might take another option

When I am obsessed over a moment, I cannot tell the best way, a simple one.

I thought they were all that I could take

우리 인생이라는 것이 원래 그런 것 같아요. 지금에 함몰되다 보면, 눈 앞에 보이는 선택지가 전부라고 생각하죠. 그 중에서 제일 좋은 것을 선택하면 고생하는데, 그래도 그것이 최고라고 착각하구요. 이런 유머를 구사하기 전에, 외국에 상장한 기업의 사업개발부 최연소 매니져로 스카우트 제의를 받았을 때, 그때 제가 그랬어요. 제가 세상에서 제일 잘난 놈인줄 알았거든요. 그리고 나보다 더 잘날 수는 없다고 생각하면서 업무를 처리했는데요. 그때 같이 일했던 사람들에게 더 잘해주면 좋았을 것 같다는 생각이 들어요. 그때는 그게 최고라고 생각했는데 말이죠.

그래서 드리는 말씀이에요. 최부장님 지금 한 번이라도 더 주변에 있는 사람들의 기분을 좋게 만드는 것이 중요해요. 나이도 어린 시퍼런 놈이 할 이야기는 아닌 것 같지만, 웃음을 주는 삶만큼 가치 있는 삶은 없으니까요. 직장생활 하면서 다들 팍팍하잖아요. 그럴 때마자 잊지 않으셨으면 해요. 눈앞에 보이는 선택지가 전부는 아니다. 내가 지금까지 생각하지 않았던 완전히 새로운 해결방법이 존재할 수 있다. 조금만 마음을 가다듬고 본다면, 반드시 보일것이에요. 최부장님의 입가에 미소를 짓게 만들 유머가요. 이번 장의 유머가 최부장님을 웃게 만들었기를 바랍니다.

장.

소통의
가위. 바위. 보.

" 과도한 열정/욕심이
이득으로 끝나지 않죠 "

- **Overreaching does not end up gains**

최부장님, 부장님은 욕심을 좀 부리는 편인가요? 저는 욕심이 많은 편이에요. 어렸을 때는 욕심부리면 안 된다. 착하게 살아야 한다. 안분지족의 삶을 살아야 한다. 이런식의 이야기를 많이 들었는데요. 세상 사람들이 말로는 그렇게 하고 실제로는 그렇게 살지 않더라구요.

학교에서도 선생님들이 싸우지 말아라. 욕심부리지 말아라. 이런 식으로 말하지만, 결국 공부 잘해야 한다. 성적 잘 받아라. 좋은 대학에 가야 한다. 결론적으로 점수에 욕심을 내라고 하잖아요. 학교만 그런 것이 아니라, 사회도 마찬가지에요. 앞에서는 욕심을 부리면 안 된다고 하면서, 결국에서 승자가 되는 것을 노골적으로 강요하잖아요.

그래서 깨달았어요. 사람들이 욕심을 부리지 말라고 하는 이유. 그것은 자신들이 경쟁에서 좀 더 편하게 이기려고 그렇게 말하는 것이더라구요. 공부 못 해도 된다. 좋은 기업에 입사하지 않아도 된다. 승진 못 해도 된다. 이런 식의 말들은 결국, 자신들이 편하게 경쟁에서 이기려고 남들에게 가스라이팅 하는 것이더라구요.

저에게는 욕심이 있어요. 조금 더 큰 가치를 사람들에게 전달해 주는 것, 한 번 이라도 더 주변 사람을 웃게 만드는 것, 그리고 최부장님이 유머를 구사하게 하는 것. 이런 욕심이 있어요. 그래서 욕심을 나쁘게 생각하지 않아요. 서론에서 말씀드렸듯이, 외국 상장기업 최연소 매니져로 스카우트 받았을 때, 저는 정말 욕심 덩어리였거든요. 어마어마하게 욕심이 많았는데,

지금 뒤돌아 보면 후회하는 점이 있다고 하잖아요? 이번 장에서는 그것에 대해서 구사할 수 있는 유머를 나눠드릴게요.

욕심이 많다는 것이 나쁜 것은 아니에요. 그런데 좋은 욕심이 있고 나쁜 욕심이 있더라구요. 과거에 상장기업 매니져였을 때 부렸던 욕심은 나쁜 욕심이었어요. 그리고 지금 이 유머를 전달할 때 부리고 있는 욕심은 좋은 욕심이구요. 그 기준을 말씀드릴게요. 상대방의 것을 뺏어서 나를 채우겠다는 것은 나쁜 욕심이에요. 반대로 상대방을 채우기 위해서 나의 것을 주는 것은 좋은 욕심이에요.

물론 상대방을 채우기 위해서 나의 것을 줄 때, 누군가 손해를 볼 수도 있어요. 그런 부산물들이 생기는 것은 어쩔 수 없거든요. 이런 사례를 보면 쉽게 이해할 수 있어요. 최부장님이 회사에 좋은 실적을 주기 위해서 노력을 했어요. 결론적으로 승진을 했거든요. 그런데 최부장님의 노력 때문에 다른 사람이 승진을 못 하는 경우가 생길 수 있잖아요. 이런 경우는 정말 어쩔 수 없는 경우죠.

그런데 만약에 옆부서인 이부장님의 실적을 망가뜨리기 위해서 생산부서와 딜을 본다거나, 바이어에게 훼파를 놓는 행위를 해서 최부장님이 상대적으로 더 높은 실적을 얻게 되었다. 그로 인해 최부장님이 승진을 한다. 이런 경우라면 확실히 나쁜 욕심이 되겠죠.

결론적으로 최부장님이 승진을 한다는 것은 같지만, 과정에 있어서 어떤 절차를 밟았느냐에 따라 그것이 좋은 욕심이 될 수 있고 나쁜 욕심이 될 수도 있죠. 이래서 욕심이라는 것에 다들 이중잣대를 가지고 있던 것이 아닌가 싶어요. 결론이 같아도 과정이 다르면 욕심의 성격이 변하니까요.

지금 이 상황, 나는 좋은 욕심인줄 알았는데 뒤돌아보니 나쁜 욕심이었다. 이런 주제의 이야기가 나왔을 때 구사하면 좋은 유머 드리겠습니다. 부부관계에 대해서 이야기할 때 쓰면 더 적절한 유머입니다. 제가 아직 미혼이라서 직접 경험한 이야기는 아니지만, 어딘가 한 번쯤은 있었을 법한 이야기를 각색해서 구사하는 유머입니다. 먼저 Why 를 던져 주세요

[Why]

과도한 열정/욕심이 이득으로 끝나지 않죠

"Overreaching does not end up gains"

'과도한 열정이란 무엇이며, 이득으로 끝나지 않는 경우란 어떤 경우일까?' 바이어가 이런 생각을 할 때쯤 이어서 How 를 던지겠습니다.

[How]

아내랑 싸울 때는요, 논리로 이길 수가 없어요

왜냐면 이유가 없거든요. 그냥 이유없이 바가지를 긁어대요

그래서 하루는, 책략을 꾸려봤어요

뭐냐면

제가 절친 한 명이 있는데, 의사에요

그 친구가 말하길, "건강검진보다 의사 소견이 중요해"라더군요

와이프랑 같이 친구를 찾아갔죠

제가 건강검진을 한 다음, 의사가 제 아내를 홀로 부르는 것이에요

그가 말하길, "남편이 정말 심각한 스트레스 증후군이 있군요."

"만약에 제 권고사항을 따르지 않으면, 남편은 반드시 죽어요. 매일 아침마다, 건강한 아침을 주어야 합니다. 항상 친절해야 하구요. 저녁에는 영양가 좋은 식사를 주어야 해요. 집안일은 절대 시키지 마시구요. 당신이 가지고 있는 괴로움을 말하지 마세요. 남편한테 스트레스를 가중시킵니다. 가장 중요한 것은, 절대로 바가지를 긁지 마세요. 만약에 이렇게 10개월만 하잖아요. 그러면 남편분은 완벽히 회복할 것입니다."

집으로 돌아오는 길에, 제가 아내한테 물었죠, "의사가 뭐래?"

"응 당신이 확실히 죽는데." 아내가 대답하더군요.

[How]

When I have an argument with my wife, I cannot find a way to escape her logic

She actually does not have a particular logic but one thing she has to do is nagging without reasons

One day, I had a great idea

Which is,

I have an old friend. He is a doctor.

So I asked him to check up my health

He said, "the Important point is not the check up result but my comment

My wife accompanied me to the doctor's office

After my checkup, the doctor called my wife into his office alone.

He said, "Your husband is suffering from a very severe stress disorder."

"If you don't follow my instructions carefully, your husband will surely die. Each morning, serve him a healthy breakfast. Be pleasant at all times. For dinner, make him a nutritious meal. Don't burden him with chores. Don't discuss your problems with him. It will make his stress worse. Most importantly, Do not nag him. If you do this for the next 10 months, your husband will regain his health completely."

On the way home, I asked my wife, "What did the doctor say?"

"He said, you surely are going to die," she replied.

연인관계와 부부관계에서의 소통은 정말 힘든 것 같아요. 이것은 논리로 하는 것이 아니라서 더 그런 것 같구요. 한쪽이 더 사랑하면 상대방에게 양보하는 것이 많아지고, 밀어내고 싶은 만큼 상대방을 밀어낼 수 있는 관계. 그래서 사랑하면서 더 많이 상처를 주고 받는 관계. 이런 관계에서 중심을 잡는 것은 정말 힘들죠.

그리고 관계에 욕심을 낸다는 것이 상대방에게 더 받아내기 위해서 부리는 욕심일 때가 있잖아요. 상대방과 더 좋은 관계를 구축하기 위해서 내는 욕심이었다가도 뒤돌아보면 상대방으로부터 더 받아내기 위한 욕심으로 바뀔 때요. 처음부터 의도한 것은 아니었지만, 어느새 보면 그렇게 변해 있는 관계를 보면 씁쓸하죠.

상대방에게 더 받아내려고 하면 할수록 좀 더 치졸해지잖아요. 서로 조금이라도 더 뺏으려고 하게 되니까요. 낭만적인 관계가 치졸한 관계로 전락해버리면 서로 큰 상처가 되는데요. 조금씩 조금씩 깔짝깔짝 상대방의 가치를 긁어내리면, 결국 상대방에게 전부를 잃게 될 수 있어요. 위의 영어유머에서는 집안일 하는 것, 아침 식사, 저녁 식사, 잔소리와 같은 것들을 조금씩 긁어내리려고 하다가 상대방이 전부다 버리는 카드를 내밀었죠.

물론 실제로 있던 일도 아니고, 이렇게 말한다고 해서 이런 이야기가 진짜 있었던 일이라고 생각하는 사람은 없을 것이에요. 다들 우스개 소리라 생각하고 넘어가는 것이죠. 이 유머의 포인트는 여기에 있어요. 누구나 한 번쯤 겪어 봤을 이야기이다. 그런데, 실제로 겪었다면 좀 슬플 것 같다. 진짜인 듯 아닌 듯 알 수 없지만, 공감이 간다. 이런 포인트들 덕분에 더 쉽게 애매하게 공감대를 형성할 수 있죠.

이 유머가 여기서 멈춘다면 씁쓸한 블랙 코미디로 남을텐데요. 그래서 그 다음 대사들을 또 준비해야 해요. 이것이 사실이 아니라는 것. 그리고 아내와 다투는 것이 없지는 않아도 상대방을 이렇게 진빠지게 만들지 않는다는 것. 그리고 최부장님은 아내를 진심으로 사랑하고 있고 사모님도 최부장님을 진심으로 사랑한다는 것. 이런 것들을 말한다면, 바이어에게 정말 기분 좋은 웃음을 선사할 수 있겠죠? 때문에 바로 What 을 나눠드리도록 하겠습니다.

[What]

제가 대답하려는 순간, 바로 아내가 말을 바꾸더라구요. 저를 잘 대할 것이라구요.

그럴줄 알았어요. 제가 사랑하는 것처럼 아내도 저를 사랑할거라구요

논쟁에서 이기는 것은 그렇게 중요한 것이 아니에요

관계에서는 한쪽이 이긴다는 것이 불가능하죠 왜냐면 우리는 한 팀이잖아요

저는 남편과 아내가 하나라고 믿어요

말싸움하는 것은 가끔씩 사람을 불안정하게 만들어요, 논리라는 것은 필요 없고 말귀를 못알아 듣게 되거든요

그것은 마치 내가 앉아 있는 나뭇가지를 잘라내는 것과 같죠

[What]

On the brink of my response, my wife fix her words, she will take care me well

I knew it. She loves me as I do

To win an argument in a relationship is not that important

It is not even possible to win a fight in a relationship because we are a team.

I believe husband and wife are one

Arguing often makes a person look insecure and regardless of the logic, it will fall on deaf ears.

It is like cutting off a tree branch that I am sitting on

사실 위에서 구사한 유머를 다시 살펴보면 조금 이기적인 면이 있어요. 제가 제 친구인 의사를 사용했다는 점. 정말일 수 있지만, 제 스트레스를 핑계로 지금까지 쌓아왔던 모든 것들을 풀어냈다는 점. 그리고 제일 중요한 것, 부부관계에서 치부라고 할 수 있는 사소한 것들을 남에게 발설했다는 점. 이런 것을 만약에 아내가 눈치를 챘다. 그리고 반응을 한다. 그러면 당연히 그냥 죽으라고 말하는 것도 납득이 돼죠.

저는 이렇게 믿어요. 정말 만약에 의사와 내가 친분이 없다. 그리고 우연히 간 병원에서 의사가 내 아내에게 위와 같이 말을 했다. 그러면 제 아내는 저를 진심으로 걱정해줄 것이라고 말이에요. 반대로 내기 아내를 위해서 병원에 갔는데 저런 소리를 들었다. 그러면 아내를 진심으로 위로하고 대우해줄 것이에요.

그러니 최부장님도 믿으셔도 괜찮아요. 만약에 최부장님이 스트레스로 정말 많이 힘들다. 그러시면 사모님께서 최부장님을 위해서 정성을 다해 챙겨드릴 것이에요. 위에서 구사한 유머처럼 진짜 죽으라고 방관하지 않아요. 정말 정말 만약에 사모님이 냉담하시다. 그러시면 저에게 연락주세요. 제가 최부장님 위해서 맥주 한 잔 사드리겠습니다. 스트레스 날리는데 맥주 한 잔 만한 것은 없잖아요.

이번 유머는 이렇게 마무리를 짓고 싶네요. 건강한 욕심에 이어서 건강한 관계까지 유머로 쟁취해 내시기 바랍니다. 바이어를 넘어 사모님의 얼굴에 미소 짓게 만들기까지 도와드리겠습니다.

3장.

소통의
가위. 바위. 보.

" 일방적인 이기심은
   언제나 실패하는 법이죠 "

- **A unilateral wish always fail**

남녀관계는 정말 뻔한 클리셰들로 가득해요. 이렇게 클리셰가 많은 것은 아마도 진짜 그런 행동을 하고 생각을 품은 사람이 많기 때문이 아닐까요? 여자에게 있는 클리셰는 예쁠수록 자신의 미모를 사용해서 이득을 취한다는 것. 남자에게 있는 클리셰는 늙을수록 상대방을 배려하지 않는다는 것.

이번에 구사하는 유머 역시 이것을 기반으로 만든 유머에요. 예전에 인터넷의 한 커뮤니티에서 이런 글을 본 적이 있어요. 여자는 나이가 변함에 따라서 남자를 보는 기준이 달라진다. 그런데 남자는 나이가 변해도 기준이 변하지 않는다. 20대 때도 어리고 예쁜여자, 30대 때도 어리고 예쁜 여자, 40대 때도 어리고 예쁜 여자, 늙어 죽을 때까지 어리고 예쁜 여자를 좋아한다구요.

최부장님은 어떠세요? 너무 뻔한 질문을 던졌다구요? 예, 맞아요. 사실 저도 어리고 예쁜 여자가 좋거든요. 그런데 사랑이라는 것은 단순히 좋아한다는 호감이 아니잖아요. 전 인격적인 만남 가운데 시작한 약속이 순간 즉흥적으로 지나가는 감정이라는 것에 흔들릴 순 없잖아요.

저는 그렇게 믿어요. 모든 남자는 어리고 예쁜 여자를 좋아한다. 하지만 전 인격적인 만남을 갖고 있는 사람과의 관계를 그런 감정 따위에 버리는 멍청한 짓을 하지 않는다. 물론 가끔 멍청한 남자가 존재하긴 한다. 그게 내가 될 수 있으니까 조심할 뿐… 처음에는 의미심장하게 이야기했지만, 점점 갈수록 나약해지는 것 같은 것은 기분 탓입니다. 저의 믿음에는 한 치의 변화도 없습니다.

서론이 길었네요. 위와 같은 상황에 대해 이야기 나눌 때 쓰면 좋은 유머, 이야기 나눠드리겠습니다. 전인격적인 관계를 약속했는데, 감정에 휘둘린 사람의 이야기입니다. 바이어와 대화를 하실 때 위와 비슷한 주제의 이야기가 나오면 구사하시면 돼요. 남녀간의 클리셰라든가, 혹은 전인격적인 만남이라든가, 혹은 남자의 감정이 인생을 뒤흔들 수 있다. 이런 류의 이야기에 대해서 말이에요.

한국인들 사이에서도 이런 류의 이야기는 자주 하잖아요. '만약에~ 게임'이라고 해서, 만약, 어쩌구 저쩌구 한다면, 너는 어떻게 할 거야? 이런 만약에 게임을 하면서 남녀간의 관계에 나오면 쓰기 더 없이 좋은 유머에요.

[Why]

일방적인 이기심은 언제나 실패하는 법이죠

"A unilateral wish always fail"

바라는 것이 있다는 것은 언제나 바람직한 것 같아요. 원하는 것이 있어야 결핍이 있고 결핍 가운데서 성과가 나오니까요. 그런데 성과를 내는 과정에서 뒤틀린 결핍을 추구하면 큰 일이 벌어지죠. 그런 상황을 이야기 할 때도 쓸 수 있는 유머니까, 잘 연습해두시기 바라요. 바로 How 를 던지겠습니다.

[How]

그거 아세요?

한국에는 특별한 천사가 있어요. 우리는 그것을 도깨비라고 불러요

도깨비는 한국정신을 지키는 수호자들이죠

그들은 정직, 충성 그리고 가족을 지켜요

잘못을 저지르면 벌을 주구요

한국의 전통을 잘 지키면 소원을 들어주죠

특별히 결혼한 커플이 불화없이 오랜시간 잘 지내면, 도깨비는 반드시 나타나서 상을 줘요

한국의 한 오래된 커플에 대한 이야기인데요

80 살이 된 한 커플이 결혼 60 주년을 기리고 있었는데요

그 기념식에 도깨비가 나타난 것이에요

"둘이 정말 오랜 기간 사랑을 했으니, 각각 소원을 들어주겠다."

아내는 놓칠새라 소원을 빌었어요, "세계여행을 가고 싶어요."

도깨비가 방망이를 땅에 내려쳤어요, 뚝딱!

바로 아내의 손에 티켓들이 생겨났죠

다음은 남편 차례에요

남편은 부끄러운 듯이 말했어요, "저는요… 저보다 50 살 어린 아내를 갖고 싶어요."

도깨비는 방망이를 들고 다시 쳤어요

이제 남편은 130 살이 됐죠.

이번에 도깨비 방망이가 친 것은 땅이 아니었어요

[How]

You know what?

Korea has a special fairy, we call it Dokkebi

Dokkebis are guardians of Korean soul

They protect Korean's integrity, royalty and family relationship

by punishing people who go beyond what is proper

And grant people's wish when people practice Korean tradition well

Especially if a married couple does not have any discord for a long time, a Dokkebi definitely shows up, and award a prize

Here I heard a example

A 80 year old couple was celebrating their 60 years of marriage.

During the celebration a Dokkebi appeared

"Because you have been such a loving couple all those years, I would like to give you each one a wish."

The wife quickly chimed in, "I want to travel around the world."

The Dokkebi hit the ground with his wand. Tuk Tak

and the wife had the tickets in her hand.

Next, it was the husband's turn.

He said shyly, "Um⋯ I would like to have a wife 50 years younger than me."

The Dokkebi picked up his wand and hit again.

He was now 130

This time he did not hit the ground

그럴듯한 가짜, 있을법한 꾸며냄. 그 사이에서 묘하게 줄다리기를 하고 있는 유머에요. 요정이 존재한다는 것을 믿는 사람은 없겠지만, 한국도 요정의 이야기가 있다는 것은 재밌잖아요. 나쁜 짓은 아니지만 도덕적으로 바람직해 보이지 않는 부분에 있어서 생각지 못한 결말이 웃음을 주구요.

한 사람만 평생을 사랑하기로 결정한다는 것은 대단한 약속 같아요. 동시에 상대방에 거는 엄청난 믿음이 있어야 하잖아요. 내가 반려자를 사랑하듯 반려자도 나를 사랑할 것이라는 믿음. 그리고 이렇게 둘이 서로 약속이 교환이 될 때 이 관계가 유지가 되잖아요.

직장을 오래 다닌디 해도 40년을 나니지 않을 것이고, 학교를 다녀도 5년을 넘지 않는데, 한 사람을 그 오랜 시간 같이 약속을 지킨다. 이런 약속을 지키는 것 자체가 아름다운 이야기이면서 동시에 기적이죠. 삶의 기적이요.

저는 최부장님이 이 이야기속의 주인공과 다를 것이라 믿어요. 일단 60년을 반려자와 함께 했을 정도로 나이가 많지 않으시잖아요. 그리고 그 긴 시간을 기적 같은 이야기로 살아냈다 하더라도 도깨비가 나타나지 않을 것이구요. 마지막으로 이야기 속 주인공처럼 일방적인 욕심을 소원으로 빌지도 않을 것이잖아요.

정말 만약에 최부장님이 위와 같은 상황에 놓인다면, 무슨 소원을 빌고 싶으신가요? 여자분이 말했던 세계여행을 빼고 다른 것을 상상해 본다면 무엇이 있을까요? 도깨비는 여자의 소원 응답으로 티켓들을 선물해주었잖아요. 여자 혼자서 여행을 가라고 한 것은 아닐 것이에요. 이렇게 말이 나온김에, 그리고 이런 이야기를 읽은 김에 오늘은 집에 가는 길 꽃다발 하나 사서 가는 것은 어떨까요? 유머라는 도깨비가 책에 뚝딱하고 쓴 글들이 마법처럼 작용해서 꽃다발이 된다면 60년을 넘어 더 오랜 시간 웃을 수 있는 기억을 선물해줄 수 있을 테니까 말이에요.

만약에 이 글을 읽는 최부장님이 여성분이시라면? 꽃다발도 낭만적이지만, 제 말을 믿으세요. 돈다발을 내밀면 반려자분은 한동안 최부장님의 자발적 노예가 됩니다. 다발을 줄 수 없다면 한 장의 봉투로도 충분해요. 남편분이 자신이 아는 지인들 모두에게 오늘 받은 봉투에 대해서 자랑할 것이에요.

이대로 끝내면 감동으로 마무리 지을 수 있겠지만, 우리는 이 유머를 바이어에게 구사하는 것이잖아요? 마지막까지 긴장의 끈을 놓칠 수는 없어요. What 까지 던져서 바이어의 미소를 끄집어 내겠습니다.

[What]

당신이 저 사람이라면, 어떤 소원을 빌었을 것 같나요?

어떻게 보면, 정당해요 왜냐면 그 남자는 자기가 원한 결과를 얻었잖아요

이것은 참 좋은 사례죠. 우리가 방법을 생각하지 않고 목표를 이룰 때

벌어지는 참사에 대해서요

불행하게도, 도깨비가 남자보다 똑똑했네요

좋은 시도였지만 나쁜 결과네요

삶은 우리가 계획한대로 흘러가지 않죠

삶의 문제들은 우리가 선택한 것에 영향을 받지 않죠

If you were that guy, what are you going to wish for?

In a way, it's totally fair because he received what exactly he wanted.

That is the great example of tragedy when we make goal without 'how'

Unfortunately, Dokkebi is way more smarter than that guy

Nice try but bad result

Life does not go as planned

Challenges we met in life do not depend on our choices

이렇게 이번 유머를 마치려고 하다보니 또 다른 재미난 생각이 났어요. 젊음이라는 것은 좋은 것이잖아요. 내 아내는 20 대 혹은 30 대의 모습으로 돌아가서 매력적인 모습을 하고 있는데, 나는 여전히 80 대 90 대의 늙은 모습을 가지고 있다는 것. 이것도 굉장히 불편하고 불행한 것 아닌가 하는 생각이요.

어쩌면, 관계라는 것은 상대방의 어떠함이 바뀌는 것이 중요하지 않을 수 있다는 것이에요. 물론 시작은 외모나 다른 매력으로 시작할 수 있죠. 그런데 서로 약속을 하고 결심을 한 상태라면, 그 다음부터는 상대방의 어떠함이 변하기를 바라기보다 함께하는 관계가 어떻게 변화하는지를 더 깊게 주의를 기울여야 하는 것이 아닌가 말이에요.

그렇잖아요. 내가 나이가 90 살인데 반려자가 20 살이에요. 그러면 언젠가 반려자는 또 다른 누군가를 만나야만 하는 것이잖아요. 안 그러면 살아온 날보다 더 긴 시간을 홀로 살아야 한다는 것인데, 그러한 불행을 누가 겪고 싶겠어요. 혹은 그 반려자가 상대방을 인격적으로 사랑하지 않고 어떤 이득을 취하기 위해서 결혼을 약속한 것으로 생각할 수 밖에 없죠.

상대방이 나에게 준 사랑이 인격적이라면, 나 역시 상대방에게 주어야 하는 사랑이 인격적이어야 하잖아요. 여기서 인격적이라는 것은 단순히 외모, 재력, 학력이라는 것을 말하는 것이 아니라, 한 사람이 지금까지 살아오면서 가지고 있는 모든 요소들을 다 포함하는 것이겠죠? 그것이 장점이 될 수도 있고 단점이 될 수도 있으며 혹은 특이한 점이 될 수도 있겠지만, 그 모든 점들을 모아 하나의 인격체가 될 테니까 말이에요.

이번 장에서 최부장님도 인격적인 웃음을 받아 가셨기를 바라요. 집 가는 길에 다발 챙기는 것 꼭 잊지 마시구요. 파이팅!

 소통의
가위. 바위. 보.

" 질문을 잘못하면
정확한 대답을 들을 수 없어요 "

• Wrong question cannot read
what repondents want

회사에서 일하다보면 정말 많이 하는 이야기 중 하나에요. 질문을 잘못하면 대답이 잘못 나온다. 보통 신입 때 이런 실수를 많이 하잖아요. 그래서 위에 있는 사수 혹은 팀장님들이 이런 질문들을 교정해주구요. 신입들은 무엇이 중요한지를 모르기 때문에 질문하는 방법을 몰라요.

그런데 이것은 신입 때만 저지르는 실수가 아니에요. 우리가 경험하지 못했던 새로운 분야에 대해서 우리는 모두 비슷한 실수를 저질러요. 한국인이 외국여행을 하면서 저지르는 실수가 있을 수 있구요. 반대로 외국인 바이어가 한국에 왔을 때 하는 실수일 수도 있구요.

이 대상이 바이어라면 쪼금 난감하겠죠? 최부장님이 대답은 해야 하는데, 그 대답이 별로 영양가가 없으니까요. 그래서 질문과 기준 자체를 교정해드려야 하잖아요. 그런데 그것을 있는 그대로 이것은 이렇게 질문하면 안 되고, 이렇게 기준을 바꿔서 질문을 해야 합니다. 이런 식으로 말하면 상대방의 기분이 나쁠 수 있잖아요. 이런 상황을 대비해서 만든 유머에요. 바로 Why 부터 던지겠습니다

[Why]

"Wrong question cannot read what respondents want"

틀린 질문은 응답자들이 무엇을 원하는질 알 수 없죠

그런데 이 Why 는 좀 공격적으로 들릴 수 있기 때문에, 전에 다른 말들을 좀 더 섞어 주는 것이 좋아요. 그것들에 대해서도 빌드업을 드릴게요

아인슈타인도 초등학교에서 사칙연산을 배웠죠

셰익스피어도 맞춤법은 배우고 연습해야 해요

당신도 열외는 아니겠죠

Einstein had a time to learn four basic operations in elementary schools.

Shakespeare must practice and learn to spell.

I am pretty sure that you are not an exception.

이렇게 먼저 복선을 던진다면 바이어는 그 다음 말들을 기분 좋게 들을 수 있어요. 아무리 바이어가 똑똑하고 위대한 사람이라고 해도 아인슈타인이나 셰익스피어급은 아닐 거 아니에요. 그리고 그런 바이어를 아인슈타인이나 셰익스피어에 비교를 한다는 것만으로도 이미 칭찬을 한 움큼 던진 격이니, 그 다음 이야기는 걱정하지 않고 이어가시면 됩니다.

이번 유머는 시작하기 까지가 어렵지만, 시작하고 나서는 굉장히 쉽고 또 재미있을 것이에요. 바로 시작하겠습니다.

[How]

최근에 한국에 있는 한 단체가 1,000 명을 넘게 조사를 했는데요

남자들이 다리가 두꺼운 여자를 좋아하는지 혹은 얇은 여자를 좋아하는지 알아보는 설문조사였어요

결과는 꽤나 충격적이었는데요

10 퍼샌트의 남자들은 두꺼운 다리를 가진 여자를 좋아한다고 했어요

그리고 또 10 퍼샌트의 남자들은 얇은 다리를 가지 여자를 좋아한다고 했구요

그렇다면 나머지 80 퍼샌트에 달하는 응답자들은 뭐라고 했을까요?

그들은 예쁜여자고 좋다고 했어요. 다리 두께는 상관이 없다고 하더라구요

[How]

A group in Korea recently released the result of a survey of more than 1,000 registered.

They conducted a poll as to whether men prefer women with large thighs or women with thin thighs.

The result were pretty surprising

10 percent of those men surveyed preferred women with large thighs.

10 percent of those men preferred women with thin thighs.

Now what about the other 80 percent of the respondents?

They preferred pretty women regardless of thighs' thickness.

유머를 10 개 넘게 준비하다보니 이제는 패턴이 비슷한 유머들이 보일 것이에요. 예, 제가 유머를 구축하는 방식은 언제나 클리셰에서 시작해요. 누구나 인정할만한 평범한 사건과 인식에서 시작을 하는 것이죠. 이렇게 구축을 하면 또 다시 한 번 상기하게 되는 것이 있어요. 바로 유머의 80%는 평범한 대화다. 제가 첫 장에서 말씀드렸던 내용이에요.

사람들을 기분좋게 만드는 것은 기괴함이나 특별한 무언가가 아니라, 우리가 일상적으로 경험하는 것들. 이 이야기가 주가 될 때에요. 이때 사람들은 편안함을 느끼고 웃는다는 것. 이렇게 또 한 번 강조할 기회가 생기네요.

혹시 그런 적 있으신가요? 대답을 듣기는 들었는데, 뭔가 시원치 않은 적. 상대방이 정확히 대답을 해주었지만, 아직 풀리지 않은 무언가 남은 느낌. 그럴 때는 질문을 잘못한 것이라고 보면 돼요. 예를 들어서, 최부장님 앞에 앉은 김대리에게 오늘 저녁 같이 오리를 먹을지, 삼겹살을 먹을지 물어봤어요. 김대리가 삼겹살이라고 정확히 대답을 해주었는데, 뭔가 심심하다. 그러면 질문이 잘못된 것이에요. 왜냐면 김대리는 칼퇴근하고 휘트니스센터에 가서 레터럴레이즈로 하체운동을 강하게 하고 싶었거든요.

대화는 본질적으로 누군가 그 중심을 주도해야만해요. 위계질서가 있는 회사생활에서는 당연히 그 중심을 상급자가 주도하겠죠. 문제는 이런 중심을 주도하지 않아도 되는 상황일 때도 이런 현상이 유지가 된다는 것이죠. 업무가 끝나고 퇴근한 다음, 주말, 혹은 회사 워크샵겸 소풍을 갔을 때. 이럴 때도 강력한 위계질서가 작동을 하면, 주변 사람들이 무엇을 원하는지 모르면서 헛발치는 질문을 할 수 있어요. 때문에 이런 점을 조심하면 정말 좋겠죠? 마지막 What 을 던져보겠습니다.

[What]

멍청한 질문을 받아본 적이 있으신가요, 지금까지?

잘못된 질문을 한 것일까요? 아니면 잘못된 사람에게 질문한 것일까요?

잘못된 질문을 받으면 돌아버릴 것 같아요

질문이 잘못될 수도 있을까요?

그럼요, 의도가 잘못되었거나, 나쁜 생각으로 질문하면 잘못될 수 있죠

What are some dumb questions you have been asked?

Did I ask the wrong question or ask the wrong person?

Wrong question can drive me nuts

Is it possible to ask the wrong question?

Yes if your question is of wrong intent or intended to lead towards a bad set of thinking

이렇게 대화를 이어가면 그 다음부터 할 이야기는 정말 넘쳐날 것이에요. 내가 멍청한 질문을 한 적, 혹은 남이 나에게 멍청한 질문을 한 적. 그럴 때 내가 어떻게 대답했는지, 이런 멍청한 질문을 왜 해야만 했는지. 생각해보니 더 똑똑하게 질문하는 것은 어떤 방법이 있었을지.

공통된 주제안에서 서로 다른 경험을 나누면 풍성한 이야기를 이어갈 수 있을 것이에요. 물론 그때마다 바이어에게 과하지 않은 웃음을 선사할 수 있겠죠. 질은 양에서 나오고 웃음은 평범한 대화에서 나오니까요. 마지막으로 이 질문을 드리고 싶네요. 최부장님은 지금 읽고 있는 이 책을 몇 권이나 사서 주변사람들에게 나눠줄 계획이신가요?

네? 지금 제가 잘못된 질문을 던졌다구요? 그건 착각입니다. 정확히 올바른 질문을 던졌어요. 깊이 고민하지 마시고 지금 바로 질러주세요. 감사합니다.

소통의
가위. 바위. 보.

" 사소한 것까지 다 신경쓸 필요는 없죠 "
- We don't have to show much
  concern on a minor mistake

세상은 모순 덩어리에요. 우리는 무언가를 설명할 때, 중요한 것을 먼저 말하라고 하잖아요. 그러면서 동시에 요구하는 것이 디테일이에요. 중요한 것을 먼저 말하면 디테일은 누락하게 되고, 디테일을 먼저 말하면 중요한 흐름은 먼저 말할 수 없는데 말이죠.

제가 사회생활을 하면서 깨달은 것이 있는데요. "편견"이라는 것이 그리 나쁜 것이 아니더라구요. 모든 것에 온전히 신경을 기울일 수 있을만큼 저는 똑똑하지 않아요. 그리고 그럴 에너지도 없구요. 물론 솔직히 말해서, 에너지가 있다고 해도 그렇게 에너지를 낭비하고 싶지 않아서 주의를 기울이지 않은 것일 수도 있어요. 그런데 중요한 것은, 나의 에너지는 한정적이고 시간도 제한된다는 점이에요. 이럴 때 가장 효율적으로 이 자원들을 사용해야 하는데요. 그때 필요한 것이 '편견'이더라구요.

예를 들어서, 월요일 아침 주간회의를 하는데 김대리가 안 보여요. 그런데 지난 5 년간 보니까 김대리는 월요일마다 지각하던 것이 기억이 나요. 월요병이래나 뭐래나, 어제 저녁 일찍 들어가서 쉬어야 하는데, 아직은 청춘이라고 일요일 저녁까지 불태운 것이죠.

그래서 최부장님이 김대리에게 전화해서 나쁜 말을 섞어가면서 빨리 오라고 다그쳤어요. 그럴 수 있는 것이잖아요. 최부장님 경험상, 너무나 많이 이렇게 지각하는 김대리를 봐왔고, 이번에도 지난 번의 상황들과 동일하니까요. 쌓이고 쌓이면 편견이라는 것이 생길 수밖에 없는 것이죠. 그런데 세상에나, 김대리가 지난 주에 휴가냈던 것을 깜박했네요. 이런 것도 가능하잖아요. 너무 자주 있던 일이 한 번은 다른 이유로 일어나 우연히 예전의 일과 겹쳐보이는 것이요.

김대리님에게는 죄송하지만, 이것은 김대리님이 잘못한 것이 맞죠. 지금까지 래퍼런스를 그렇게 쌓아왔으니까요. 이번에도 또 지난번과 마찬가지로 김대리님이 실수한 것이라고 다른 사람들에게 시그널을 미리 차곡차곡 보내왔던 것이잖아요. 비록 최부장님이 오해해서 실수한 것이라고 할지라도 말이에요.

여기서 드리는 말씀. '간편하게 생각하라!' 이 캐치프레이즈는 정말 유명한 말이죠. Simple is best. 구글이 내거는 모토니까요. 그런데 이 simple 이라는 말, 단순하게라는 개념이 일상생활에서는 '편견'으로 구현되기 쉽죠. 그래서 하는 말이에요. 편견이라고 말하면 부정적으로 받아들이기 쉽지만, 저는 이 편견이라는 말이 어찌보면 현명한 선택이라구요. 99%의 상황에서는 맞아들어 가잖아요. 겨우 1%의 오차를 메꾸기 위해서 다양한 걱정을 한다구요? 그것은 인생을 사는 지혜가 아니라고 봐요. 물론 바이어의 입가에 미소를 짓게 만드는 일이라면, 그 1%를 채우기 위해서 혼신의 힘을 다하겠지만 말이에요.

이 말을 왜하는가? 편견이 나쁘지 않다는 것을 증명하기 위해서? 우리가 가진 편견은 대부분 편견이 아니라 사실이라서? 아니죠. 유머를 구사하기 위해서 한 말입니다. 지금 이런 식의 상황. 편견을 갖기에 딱 좋을 때, 그리고 간편하게 생각하는 것이 올바를 때. 이런 비슷한 류의 이야기가 전개되었을 때. 그때 구사할 수 있는 유머를 소개해드릴게요. 바이어의 귀를 사로잡기 위해서 먼저 Why 를 던집니다.

[Why]

우리는 작은 것에 너무 많은 관심을 기울일 필요가 없어요

"We don't have to show much concern on a minor mistake"

중요하지 않은 세부사항에 너무 많은 관심을 기울이고 있을 때, 이 말을 하면 바이어의 귀를 사로잡을 수 있겠죠? 조금 주의해야 할 점이 있어요. 바이어는 해당 사항이 정말 중요한 것이고 그래서 디테일까지 신경을 쓰는데, 그 바이어의 우선순위가 틀렸다고 말하는 형식이 되면 안되요. 업무함에 있어서 이런 식의 말을 구사하는 것은 위험할 수 있다는 점. 하지만 식사 중에, 혹은 한국 교통, 문화, 예절 같은 일상의 대화를 주고받을 때, 그때

써야 된다는 것. 상대방의 기분을 나쁘게 하면 안되면서 동시에 그들의 귀를 끌어 당길 수 있는 상황이 먼저 조성되어 있어야 해요. 그때 구사해야 미소를 드릴 수 있거든요. 이어서 How 를 던져드리겠습니다.

[How]

사람들은 변호사가 욕심이 좀 있다고 생각하잖아요

변호사들은 누구든 변호하니까요, 돈만주면요

돈이 아주 중요한 동기로 작용하는 것이죠

원래 모든 사람들이 그렇긴 한데요

저도 알아요, 우리는 누군가를 그 역할과 일로 비난하면 안 된다는 것을

그런데 그렇다고 우리 무의식까지 숨길 수 있는 것은 아니잖아요, 그쵸?

제가 재밌는 이야기 하나 해드릴게요

제가 어떤 두 사람을 한 번에 만난 적이 있는데요

목사랑 변호사가 한 모임에서 이야기를 나누는 것이에요

"일할 때 실수했다는 것을 알아차리면 어떻게 처리하시나요?" 목사가 물었어요.

"중대한 일이라면 고치려고 하죠. 그런데 큰 일 아니면 무시해요." 변호사가 대답했어요

"당신은 어떻게 하시는데요?"

목사가 대답했죠, "비슷해요. 예를 들어볼게요."

"예전에 이런 적이 있어요. '마귀는 거짓말쟁이들의 아버지다'라고 말해야 하는데요. 실수로 '마귀는 변호사들의 아버지다' 이렇게 말해버린거에요. 그래서 그냥 지나갔죠."

[How]

People thought that lawyers are greedy somehow

Layers can defend anyone if their accounts give them money

Money is their driving force

That is what people do per se

I know we should not blame them for their job and role

But we cannot hide our unconsciousness, right?

Here let me give you a funny story

I have met 2 people at the same time

A minister and a lawyer were chatting at a party.

"What do you do if you make a mistake on a case?" the minister asked.

"Try to fix it if it's big. ignore it if it's insignificnat." replied the lawyer.

"What do you do?"

The minister replied, "More or less the same. Let me give you an example."

"The other day I meant to say 'the devil is the father of liars' but instead
I said 'the devil is the father of lawyers' So I let it go."

사실 이것은 서양식 유머에요. 서양 사람들이 가지고 있는 편견중에 하나를 이용한 농담이거든요. 변호사라고 하면 한국에서는 굉장한 지식인, 그리고 전문가라는 평가가 대부분이잖아요. 그런데 서양문화권에서 변호사라는 직업은 전문가이면서 동시에 돈의 노예라는 이미지가 있어요. 돈만 주면 무엇이든 다 하는 사람들이라는 이미지가 있는 것이죠. 그래서 이런 식의 이야기를 한다면, 바이어가 조금은 신기하게 바라볼 수 있어요. 이런 인식은 어떻게 갖게 된 것인지, 그리고 진짜로 그런 일이 있었는지에 대해서요.

당연히 실제하는 이야기는 아니고 만들어낸 이야기죠. 누가 사람 면전에다가 악마의 자식이라는 욕을 하겠어요. 심지어 목사라는 사람이 그렇게 할 일은 절대 없죠. 한국사회에서는 절대 불가능한 일이에요. 그리고 한국사람들에게는 변호사라는 직업이 돈의 노예라기 보다는 개천에서 난 용이라는 이미지가 있잖아요. 그리고 겨우 변호사 타이틀 하나 단 것으로 갑자기 신분이 바뀌지는 않잖아요.

잠깐만요. 혹시 최부장님 직업이 변호사는 아니시죠? 만약에 그렇다고 한다면, 지금 이 유머는 더 좋은 유머가 될 것이에요. 왜냐면 앞에서도 계속해서 말씀드렸지만, 자기를 낮추는 유형의 유머는 자신감과 겸손함을 같이 표현할 수 있기 때문이에요. 만약에 기분이 나쁘셨다면 죄송해요. 그래도 좋은 유머 하나 얻었다고 생각하시면 좋을 것 같아요. 아 혹시 상대방의 직업이 변호사다. 그러면 이런 류의 유머는 받아들이기 힘들겠죠? 그런 상황에서는 이 유머를 구사하지 않는 것을 추천드립니다.

이 유머를 구사한 다음에도 나눌 수 있는 이야기는 정말 많아요. 직업윤리에 대해서, 나는 나의 직업을 어떻게 생각하는지, 직업에 도덕이라는 가치가 들어가야 하는지, 타인이 나를 판단할 때 직업으로 판단하는 것에 대해서 어떻게 생각하는지 등. 수 없이 많은 이야기들을 끌어낼 수 있어요. 역시 이것은 최부장님이 속해 있는 직무, 직종에 따라서 변형한 다음 이야기 하시면 됩니다. 마지막으로 What 을 정리해 드릴게요.

[What]

우리는 우선순위를 정해야 해요

우리는 오판하지 않으려고 하죠, 그러려면 중요하지 않거나 잘못된 것은 과감히 버릴 수 있어야 해요

누군가는 그래요. 변호사들이 자기 자신을 좀 까다로운 사람으로 만든다구요

누구든 성공한 사람이 되면, 어려운 삶의 중요한 문제들을 다룰 수 있어야하죠

We should determine top priority

We want to avoid false positives. To achieve this, we need to rulle out anything that smacks of being erroneous or insignificant

According to some people, lawyers have some personality traits that turn them into difficult friends

For anyone to turn out as a successful person, he or she must play the difficult roles that life presents.

최부장님은 '사소한 것'에 대해서 어떻게 생각하시나요? 누군가는 그러죠. 사소한 것도 챙길 수 있어야 큰 일을 할 수 있다. 그런데 또 반대로 이런 말도 있죠. 사소한 것에 정신이 팔려서 큰 것을 놓친다. 어떤 사람은 사소한 것을 통해 큰 것을 이루고 또 어떤 사람은 사소한 것에 목숨을 걸어서 큰 것을 잃어요. 둘은 정말 한 끗 차이에요.

이 둘은 사소한 것을 챙겼다는 점에서 동일하지만, 결과가 완전히 다른데요. 왜 그런지 아시나요? 그것은 '우선순위'라는 측면으로 볼 수 있어요. 중요한데 작은 디테일인 경우, 이것은 아무리 작아도 중요한 것이죠. 저는 이것을 다이아몬드라고 불러요. 작고 소중하니까요. 디테일에서 더더욱 중요해지는 것이죠. 조그마한 흠집하나도 놓칠 수 없죠.

반대로 중요하지 않은데 작은 디테일인 경우, 이것은 그냥 작은 것이에요. 저는 이것을 티끌이라고 불러요. 작고 보잘 것 없으니까요. 티끌은 아무리 모아도 태산이 될 수 없어요. 바람에 날리는 먼지가 될 뿐이죠. 그래서 방송인 박명수씨가 이런 말을 했잖아요. "티끌 모아서 티끌이다."

이 둘을 차이나게 하는 것은 둘이 가지고 있는 '가치'겠죠. 그리고 이 가치를 다른 말로 하면 '중요하다'라는 것이 되구요. 우리는 중요한 것을 가치있다고 여겨요. 그리고 그 가치를 볼 수 있는 눈, 그것이 바로 '우선순위'죠. 그래서 이 유머를 구사하고 나서 우선순위에 대해서 이야기를 나눌 수도 있어요. 나의 우선순위에 대해서 말할 수 있고 상대방의 우선순위에 대해서 들을 수 있으니, 서로를 알아가기에 좋은 이야기 주제가 될 수 있죠.

우선순위라는 것은 무엇을 중요하게 여기는지 알 수 있는 기준점이 되잖아요. 이 유머와 대화를 하기 전에, 최부장님도 이것을 미리 생각해두시면 좋을 것 같아요. 아무런 준비 없이 유머를 구사하시면, 이 다음에 어떤 이야기를 이끌어 갈지 몰라서 대화가 막히게 되거든요.

그런 시간을 한 번 쯤은 갖는 것이 좋아요. 나는 무엇을 중요하게 여기는가? 가족? 시간? 돈? 어떤 것이 내 인생에 있어서 중요한 것인가? 내 업무에 있어서 내가 우선순위로 두고 있는 것은 무엇인가? 회사가 나에게 요구하는 우선순위는 무엇인가? 팀과 동료들이 두고 있는 우선순위는 무엇인가? 이런 질문들을 하다보면 최부장님만의 고유한 이야기가 쏟아져 나올것이에요.

제 우선순위는 무엇이냐구요? 저는 최부장님이 이 시간 한 번 웃으면 됩니다. 이 글을 읽는 동안 잔잔한 즐거움을 드렸다면, 저는 그것으로 만족합니다. 저의 우선순위가 충분히 이루어 졌기를 바라며 이번 챕터를 마칠게요.

장.

가위 바위 보의
달인이 되는 방법

'나는 바위를 낼거야'

태평성대 행복혼을 들려드릴게요. 한 농부가 느긋하게 그늘에 누워서 쉬고 있는데, 어떤 한 상인이 와서 묻는 것이에요. 왜 이렇게 한가하게 놀고만 있냐구요. 그러자 농부가 상인에게 몇 가지 질문을 던져요.

농부: 지금 당신은 왜 분주하십니까?"

상인: 물건을 팔기 위해서죠

농부: 왜 물건을 팔려고 합니까?

상인: 돈을 벌기 위해서 물건을 팔죠

농부: 왜 돈을 벌려고 하십니까?

상인: 더 좋은 집과 더 좋은 옷을 사기 위해서 돈을 법니다.

농부: 왜 더 좋은 집과 더 좋은 옷을 사려고 하시나요?

상인: 더 편안하고 행복한 삶을 살기 위해서요

농부: 그 편안하고 행복한 삶을 나는 지금 누리고 있습니다.

분주하고 열정적으로 살고 있는 상인과 나태하고 누워있는 농부 이야기.

대화가 시작하기 전에는 농부가 한심해보였지만, 끝나고 나니 상인이 안타까워 보여요. 지금 누릴 수 있는 것을 미루고 미뤄서 나중에 맛보겠다는 것이잖아요. 물론 위험 대비가 전혀 되지 않은 상태에서 여유를 부리는 것은 안돼죠. 하지만 궁극의 목표를 지금 누릴 수 있고 안정적인 환경이 준비되어 있다면, 지금 누리지 않을 이유가 없어요.

유머라는 것이 딱 그래요. 우리가 하는 모든 일은 적게 혹은 많게 '행복'과 관련이 있어요. 작은 행복이라도 우리는 이 행복을 누리기 위해서 살고 있죠. 저는 이 행복 중에서 가장 확실한 행복이 '웃음'이라고 생각해요. 네, 제가 이 책의 서문에 써 놓았던 미소를 말하는 것이에요. 깔깔깔 웃지 않아도, 소리내지 않은 작은 미소라도 우리 삶이 작은 행복들로 채워지기를 바란다는 것이에요.

앞에서의 유머들을 준비하면서 무슨 생각이 드셨나요? 이렇게 많은 이야기들을 외우고 반복하고 숙달해서 바이어에게 웃음 한 바가지 씌워 드려야지? 다른 것은 모르겠고 웃음을 한 번 준 다음 클로징 한 건 따내야지?

이런 생각으로 앞의 글들을 보셨다면, 이번에는 그 기운들을 빼내는 작업을 할 것이에요. 무슨 말이냐면, 지금 당장 누군가의 기분을 좋게 만들 수 있다면, 왜 당장 그렇게 하지 않는 것일까요? '대사를 철저히 준비하고, 상대방을 완벽하게 분석해서, 계약이 클로징 되기 전에만, 상다방의 기분을 좋게 만들어야지!' 이렇게 생각하는 사람은 행복하지 않아요. 그 상황 그 조건들이 채워지기까지 군이 기다리고 아껴둘 필요가 없잖아요. 지금 당장, 바로 옆에 있는 사람들의 기분을 좋게 만드는 것. 그것이 바로 '유머'의 본질이고 핵심이에요.

더 중요한 것을 말씀드릴게요. 지금 당장 내 옆에 있는 사람의 기분을 좋게 만들 수 있는 사람이, 나중에 멀리 있던 타인의 기분도 좋게 만들 수 있어요. 한솥밥 먹는 동료들의 기분도 좋게 만들 수 없는 사람이, 외부 고객의 기분을 좋게 만드는 것은 불가능한 일이에요.

한국어로 한국인의 기분을 좋게 만들 수 있어야, 영어로 외국인의 기분을 좋게 만들 수 있어요. 최부장님, 최부장님을 위해서 하는 말입니다. 비록 김대리가 실수를 많이 하고, 짜증나게 하는 일이 많다 하더라도 김대리님의 기분을 좋게 만들어주세요. 김대리님이 김과장으로 승진하는 날, 부장님한테 유머를 구사할테니까요.

누구든 상관하지 않고 어디든 가리지 않고 남의 기분을 좋게 만든다는 것, 타인에게 유머를 구사한다는 것은 언제든 옳습니다. 이 말씀을 드리는 이유는 지금 당장, 내 옆의 사람의 기분을 좋게 만드는 것, 그것이 바로 유머의 달인이 되는 비결이라는 점입니다. 유머의 달인이 되기 위해서라도 꼭 지금 당장 최부장님 옆에 있는 분에게 유머를 구사하시기 바랍니다.

유머의 선한 마음을 절대 포기하지 마세요. 이 책의 첫 장부터 강조드렸던 것은 '유머'라는 것의 본질이었어요. 유머의 본질은 '타인을 기분 좋게 만드는 것.' 이 본질로 인해 농담, 웃음, 행복 등이 파생됩니다. 그런데 본질을 충실히 지키려고 해도, 상대방이 그 본질을 왜곡할 때가 있어요. 첫 장에서 말씀드렸던 '강력한 야채'를 기억하시나요?

저는 상대방의 기분을 좋게 만들려고 한 것인데, 상대방은 그것을 기분 나쁜 개그로 받아들인 사건. 언제든 이것은 일어날 수 있습니다. 그럴 때는 본질로 돌아가야 합니다.

가위바위보 게임의 본질이 무엇인지 아시나요? 그것은 상대방을 이길 때까지 게임을 진행한다는 것이에요. 내가 바위를 먼저 내는 습관이 있어요. 그리고 바위 다음에는 가위를 내고 마지막에는 보를 내요. 다시 바위로 돌아오죠. 최부장님이 이렇게 습관을 가지고 있다는 것은 중요한 것이 아니에요. 상대방은 처음에 보를 내는 습관이 있다면 어쩌실 것인가요?

'나는 원래 바위를 내는 습관이 있고 상대방은 보를 내는 습관이 있으니까 첫 판은 져주고 시작해야지!'

이렇게 생각하는 사람이 있을까요? 없어요. 이렇게 생각하는 멍청이는 때려서라도 고쳐야 해요. 상대방이 무엇을 내는지 뻔히 알고 있는데, 내가 질 것을 뻔히 아는데, 그런데도 변화 없이 고집을 부린다구요? 안됩니다.

상대방이 그런 습관을 가지고 있는지 몰라서 지는 것은 괜찮아요. 두 번 혹은 세 번까지도 괜찮아요. 그런데 이것이 습관화가 되어서 10 번 혹은 매번이 된다면, 최부장님은 평생 지기만 하는 것이에요.

유머도 마찬가지에요. 최부장님이 구사하는 유머가 있는데, 그런 식의 유머를 상대방이 싫어할지 안 할지 모르잖아요. 그래서 처음에는 구사할 수 있어요. 아재개그라고 하잖아요. 요즘 MZ 세대들은 부장님개그 혹은 꼰대개그라고도 하는데요. 상대방이 싫어하는 것을 확실히 알았으면, 그럼 고쳐야죠.

어떻게 고치냐구요? 간단해요. 가위바위보 습관을 고치는 것과 동일해요. 원래 최부장님이 처음에 내는 것이 '바위'였다고 할게요. 그러면 바위 말고 다른 선택지가 있다는 것을 알아야 해요. 그리고 행동으로 옮겨야죠. 원래 최부장님이 하는 개그가 있어요. 그러면 그런 식의 개그가 아니라 다른 류의 개그가 있다는 것을 알아야 해요. 그리고 다른 식의 유머를 도전해야해요.

물론 가위바위보는 선택지가 명확하게 있으니까 고치기가 쉬워요. 하지만 소통과 관계에 있어서는 그런 명확한 선택지가 없어요. 그래서 어렵게 느낄 수 있는데요. 그때는 이것을 생각하세요. 유머의 본질. 상대방의 기분을 좋게 만든다. 상대방의 기분을 좋게 만든다는 선한 본질을 잃지 않는다면, 언젠가 진심은 통하게 되어 있어요.

더 놀라운 사실을 말씀드릴게요. 제 친구 중에 자기 부장님을 정말 좋아하는 친구가 있는데요. 그 부장님이 아재개그를 그렇게 많이 해요. 그리고 제 친구는 이런 류의 개그를 혐오하는 친구에요. 그런데 자기 부장님이 하는 아재개그는 좋다고 해요. 참 신기하죠? 그래서 제가 그 친구한테 아재개그를 했는데요. 욕을 엄청 먹었어요. 이상하잖아요. 자기 부장님한테는 웃어주면서 저한테는 웃어주지 않으니까요. 그래서 왜 그런 것이냐고 물어 봤더니, 그 친구가 이렇게 답하더라구요.

"야, 부장님이 좋은 것이지 개그가 좋은 것이 아니야. 우리 부장님이 나를 얼마나 좋아하는지 알아? 지난 번에 강릉 휴가 갔다 와서도 내 와이프 생각난다고 만쥬를 사왔어."

맞는 말이더라구요. 진심은 통하는 법이에요. 아재개그라 하더라도, 상대방의 기분을 좋게 만들겠다는 본질에서 벗어나지 않으면 언젠가 통해요. 그 아재개그가 통하지 않아도 본질이 통해요. 제 친구는 자기 부장님의 개그를 본 것이 아니라 자기 부장님의 본질을 본 것이죠. 자신의 기분을 좋게 만드려고 노력하는 부장님이요. 세상에 자기 기분을 좋게 만드려고 노력하는 모습을 누가 싫어할까요?

최부장: 아니 그래서 아재개그를 하라는 거야, 말라는거야?

아니, 부장님. 말씀드렸잖아요. 아재개그라는 표면적인 것에 몰두하면 안된다구요. 본질을 보셔야 해요. 유머의 본질. 상대방의 기분을 좋게 만들겠다는 선한 의도. 이것 하나면 충분해요. 부장님의 말이 재미가 없더라도, 부장님의 챙겨줌이 별 볼일 없더라도, 이 선한 마음을 끝까지 품으면, 그리고 포기 하지 않고 계속 이 마음을 행동으로 증명하면, 진심은 반드시 통한다구요.

설마 아직도 부장님은 가위바위보를 낼 때 '나는 바위를 낼거야!' 이렇게 고집하고 계신 것은 아니죠? 부장님은 이기기 위해서 가위바위보를 하는 것이에요. 마찬가지로 부장님은 상대방의 기분을 좋게 만들기 위해서 유머를 구사하는 것이에요. 소통의 가위바위보에 달인이 되는 방법, 그것은 본질에 집중하는 것입니다. 파이팅!

4장.

가위 바위 보의
달인이 되는 방법

'그래도 바위를 내야겠다면…'

그럼에도 불구하고 바위를 굳이 내야만 한다면… 최부장님이 이것만큼은 정말 포기할 수 없다면, 그렇다면 드리는 마지막 조언입니다. 습관이라는 것이 참 무서워요. 선한 마음으로 남들의 기분을 좋게 만든다는 생각을 품어도, 행동으로 나오는 개그욕구는 참을 수 없거든요. 만약에 최부장님이 정말로 남들의 기분을 좋게 만들겠다는 본질을 벗어나지 않았다면, 이번 장에서 하는 말을 꼭 새겨들으셔야 합니다.

제 친구가 실제로 겪은 이야기인데요. 열정 많고, 정 많고, 에너지 넘치는 친구가 있었어요. 사람들 만나는 것을 좋아하고, 사람들에게 좋은 것을 나눠주는 것은 즐겨하는 친구였거든요. 인간적인 매력이 철철 넘치는 친구는 덕분에 다른 사람들에게 인기가 많았어요. 그런데 이 친구의 단점이 하나 있었어요. 바로 에너지가 남들보다 배는 넘친다는 것이에요.

에너지가 넘치기 때문에 사회생활을 많이 했어요. 축구, 골프, 헬스, 테니스, 등 정말 많은 사회관계 인프라를 가진 친구였는데요. 저녁 늦게까지 술자리를 가져도 다음날 새벽에 축구를 하려고 일어날 수 있는 친구에요. 정말 대단해 보이는 이 친구가 큰 문제를 만난 적이 있는데요. 바로 사랑에 빠진것이에요.

정말 좋아하는 사람이 생겼다는 것이죠. 다행히 그 여성분께서 고백을 받아줘서 고제를 하는데요. 둘의 에너지 차이가 너무 큰 것이에요. 여성분은 조용한 스타일이었고, 에너지가 많지 않아서 조금만 돌아다녀도 벅차했는데요. 제 친구는 뭐든 하나라도 더 같이 하고 싶어했어요. 그러다보니 여성분은 힘들고 지쳐서 말수가 줄어들고, 오해하거나 기분상하지 않게 하기 위해서 말을 줄였는데요. 여기서 어긋난 것이죠.

제 친구는 지금 당장 심장이라도 꺼내서 줄 것 같은 뜨거운 열정을 보여주었는데, 이것도 한 두 번이어야죠. 너무 자주 그러니까, 모든 상황에 똑 같은 에너지를 쏟아부을 수 없는 것이에요. 그래서 여성분이 감사하다는 표현이 줄어들었어요. 제 친구는 똑같이 폭발적인 표현을 함에도 여성분 반응이 시큰둥 하니까 화가 나는 것이에요. 이것이 쌓이고 쌓이니, 결국 둘은 헤어졌는데요.

몇 달 후 다시 둘이 만나서 밥을 먹었데요. 그냥 시간이 맞아서 밥을 먹은 것이었지만, 제 친구는 아직 미련이 남아서 만난 것이에요. 그렇게 밥을 먹으면서 아주 사소한 친절을 베풀었어요. 숟가락과 젓가락을 세팅해주고 물을 따라 주는 것이었는데요. 여성분은 정말 평범하게 "고마워요." 라는 대답을 했데요. 그런데 이 말에 제 친구는 너무 화가 나서 주체를 못하고 터졌다고 하는데요. 그때 제 친구가 했던 말이 이것이에요.

"아니, 내가 그렇게 잘해줄 때는 고맙다는 말 한 번을 안 했으면서. 그 힘든 비오는 날 차를 타고 가서 태워주고. 밥도 내가 새벽에 일어나서 해가지고 방문하고. 이벤트 준비하면서 했던 그 모든 것들은 그냥 시큰둥하게 받고 아무 말도 안했으면서. 겨우 이것 하나에 고맙다는 말을 한다고? 그럼 그 때는 왜 그렇게 말하지 않았던 것이에요? 아니 이게 뭐라고 이게 고맙다고 하는 것이에요?"

제 친구의 입장이 이해가 안 가는 것은 아니지만, 여성분은 너무 놀라서 울음을 터뜨렸다고 하더라구요. 그 울음을 보면서 제 친구는 태도를 바꿔서 갑자기 미안하다고 했구요. 그런 친구의 태도를 보면서 여성분은 제 친구가 무섭다고 했데요.

지금 이 상황, 남녀간에만 일어나는 상황이 아니에요. 그리고 이런 상황은 우리가 사회생활하면서 많이 겪을 수 있는 일반적인 상황이에요. 무엇이냐면, 나에게 사랑이 누군가에게는 집착이 될 수 있다는 점. 나에게 유머가 남들에게는 개그가 될 수 있다는 점. 나에게 행복이 남에게는 폭력이 될 수 있다는 것.

영화 <악마는 보았다>에서 최민식 배우가 이런 말을 해요. "내가 너 좋아하면 안 되냐? 내가 너 좋아할 수 있는 거잖아. 그잖아?" 상대방을 좋아한다는 감정이 나쁜 감정은 아니에요. 하지만 상대방이 받아주지 않았다고 해서 분노하는 것은 확실히 나쁜 감정이죠. 마찬가지에요. 타인의 기분을 좋게 만들겠다는 결심은 좋은 마음이에요. 그런데 상대방 기분이 좋아지지 않는다고 해서 화를 내면 안 된다는 것이에요.

이것은 정말 끊임없는 싸움이 될 것이에요. 나는 정말 최선을 다해서 노력을 함에도 불구하고 상대방은 시큰둥할 수 있거든요. 그리고 그 시큰둥한 반응이 어쩔 때는 너무나 화가 나거든요. 최부장님이 유머를 구사할 때 주의해야 할 마지막 포인트. 상대방의 기분을 좋게 만들겠다는 선한 의도는 끝까지 선한 행동으로 남아야 한다. 절대로 폭력적으로 변하거나 분노로 썩어버리면 안 된다.

요즘 것들은 쉽게 웃어주지 않아요. 지금 당장 최부장님 옆에 있는 사람에게 유머를 시도하면, 분명히 이 상황에 봉착하게 될 것이에요. 나는 선한 마음을 품었는데, 상대방은 시큰둥한 상황. 이것이 반복되다보면 화가 날 것이에요. 그때 화를 참고 다시 선한 마음을 품는 것. 그것은 정말 정말 정말로 어려운 일이에요.

저는 이렇게 말씀을 드릴게요. 선한 마음을 품는 것은 시작이에요. 그런데 선한 마음을 유지하는 것은 끝이에요. 유머의 시작은 사실 그렇게 어렵지 않습니다. 한 번 시도하는 것으로 시작할 수 있거든요. 그런데 유머의 끝은 정말 어려워요. 계속 그 마음을 유지한다는 것은 엄청난 고통일테니까요.

생각해보세요. 김대리님이 지각할 때, 이과장이 프로젝트를 망쳤을 때, 옆 팀에 있는 김부장님이 대형 클로징을 성사시켰을 때. 이 모든 상황에서 처음

가졌던 마음, 남들의 기분을 좋게 만들겠다는 결심을 유지하는 것은, 정말 힘든 일이니까요.

그럼에도 불구하고 최부장님이 '바위'를 내야겠다면, 축하드립니다. 그 힘든 길을 결국에는 가겠다는 것이잖아요. 남들의 기분을 결국에 좋게 만들겠다고 의지를 선포하는 것이잖아요. 분명 마음에 들지 않을 때가 올 것이에요. 그때 다시 한 번 꾹 참으셔야 합니다. 그리고 유머 구사하는 것을 절대 포기하면 안 됩니다. 시작을 했으면 끝을 보셔야죠. 그래도 바위를 내겠다면, 바꾸지 마시고 계속 내질러 보세요. 언젠가, 정말 언젠가, 상대방이 가위를 내는 날이 올 것입니다. 그때 최부장님의 입가에 짓고 있을 미소가 그려지네요. 파이팅입니다.

4장.

가위 바위 보의
달인이 되는 방법

'궁극의 가위바위보'

가위바위보에서 무조건 이기는 방법을 알려드릴게요. 이게 정말 엄청난 비기인데요. 어쩌면 지금까지 알았던 모든 방법들보다 더 귀중한 자산이 될 수 있는 비기에요.

최부장: 아니, 그럼 그것을 제일 먼저 알려줬어야지. 지금 이것을 다 읽을 때쯤 알려주면 어쩌라는 것이야.

왜냐면 이것은 최부장님이 구사하는 것이 아니거든요

최부장 : 내가 구사하는 것이 아니라고?

네, 가위바위보에서 무조건 이기는 방법이라고 했지, 최부장님이 무조건 이기는 방법이라고 하지는 않았잖아요.

최부장: 아니 뭐야 이거 완전 사기꾼 아냐? 그러면 내가 진다는 뜻이야?

이렇게 들으시면 오해하실까봐 마지막에 말씀을 드리는 것이었어요. 잠깐 흥분을 가라 앉히시고 끝까지 들어보세요. 정말 유익한 도움이 될 것이에요. 가위바위보는 이기기 위한 게임이지만, 유머는 기분을 좋게 만들기 위한 게임이에요. 가위바위보에서 상대방을 이기는 방법은 변수가 많지만, 반대로 상대방이 나를 이기게 만드는 방법은 상수로 만들 수 있죠. 유머도 마찬가지에요. 상대방을 기분좋게 만들 때는 변수가 많아요. 하지만 상대방이 나를 기분좋게 만들 때는 상수로 만들 수 있다는 것이에요.

대화는 기본적으로 둘이서 하는 것이잖아요. 지금까지는 최부장님이 유머를 어떻게 구사하는지에 대해서 말씀을 드렸어요. 그런데 이것은 너무 일방적이에요. 우리가 주의해야 하는 것은, 상대방도 최부장님의 기분을 좋게 만들기 위해서 노력하고 있다는 것이에요. 그 노력이 어느 정도냐면, 지금까지 최부장님이 이 책을 읽으면서 연습하면서 준비했던 것들. 그 전부를 상대방도 준비한다는 것이에요.

놀라지 마세요. 한 사람만 그런 것이 아니라, 최부장님에게 말을 걸고 있는 사람들 모두가 그러고 있어요. 모두 최부장님의 기분을 좋게 만들기 위해서 노력한다는 것이에요. 아침에 인사를 하는 동료들, 시시콜콜하더라도 미팅을 할 때 한 마디 더 던지던 바이어들, 그리고 최부장님이 어려워하던 김상무님도. 전부 최부장님의 기분을 좋게 만들기 위해서 무언가 하고 있다는 것이에요. 그것이 대화일 수 있고 행동일 수 있고 인사일수도 있죠.

유머라는 것을 내가 구사할 때는 막막해 보이잖아요. 그 막막함을 뚫고 타인들이 최부장님께 유머를 구사하고 있다는 사실. 알고 계셨나요? 지금부터 유심히 관찰해보시면 좋을 것 같아요. 출근해서 최부장님에게 가장 먼저 말을 거는 사람은 누군지, 그 사람은 최부장님에게 어떻게 말을 거는지. 아랫사람, 윗사람 각각 최부장님께 어떻게 접근을 하는지, 그리고 그들이 부탁을 하거나 요청을 할 때는 어떻게 유머를 구사하는지. 그것을 보고 있으면 그들이 구사하는 유머가 보일 것이에요. 커피를 타다 주는 사람이 있고, 같이 점심을 먹자고 하는 사람이 있고, 오후에 아메리카노 한 잔 책상에 올려두기를 하던가 혹은 같이 맥주 한 잔 하자고 메시지를 남기기도 하죠. 그들이 구사하는 유머가 얼마나 다양한지 한 번 관찰해보세요.

궁극의 유머를 구사하는 사람은 남들이 구사하는 유머에 웃어줄 수 있는 사람이에요. 상대방도 그 어려운 막막함을 뚫고 왔다는 것을 아는 것이죠. 나에게 다가 오기까지 정말 수 많은 고민을 하고 다가왔다는 것을 알고 있는 것이죠. 최부장님이 구사할 수 있는 궁극의 유머. 그것은 타인이 구사하는 유머에 웃어주는 것이에요.

더 놀라운 사실을 말씀드릴게요. 이렇게 궁극의 유머를 구사하면, 나중에 최부장님이 말하는 이상한 유머에도 웃어준다는 것이에요. 최부장님이 저의 유머를 듣고 웃어주고 대답하고 긍정적으로 반응했는데, 반대의 상황에서 얼굴 정색하고 또박또박 말을 씹으면서 말할 사람이 몇이나 있을까요? 없습니다.

무조건 이기는 가위바위보. 상대가 무엇을 내든 다음에 내고 지는 패를 주면 됩니다. 그러면 상대는 무조건 이깁니다. 마찬가지로 무조건 웃게 만드는 유머. 상대가 무슨 말을 하든, 무슨 행동을 하든, 상관 없이 미소로 화답하는 것입니다. 상대방은 이겼다는 기쁨, 누군가의 기분을 좋게 만들었다는 즐거움, 이런 감정으로 가득 찰 것이에요. 축하드립니다. 방금 전에 궁극의 가위바위보를 터득하셨어요.

믿음을 가지셔도 되요. 이 궁극의 가위바위보를 사용하면, 상대방은 최부장님을 긍정적으로 인식할 확률이 기하급수적으로 올라갈 것이에요. 바이어와 이야기를 할 때도 마찬가지에요. 바이어가 하는 말을 잘 듣고 웃으면서 대답하는 것. 그러면 정말 엄청난 유머를 구사하고 계신 것이에요.

여기서 한 가지 주의할 점을 드릴게요. 궁극의 가위바위보라는 것이 무조건 이기는 방법이라고 말씀드렸잖아요. 그런데 무효가 되는 순간이 있어요. 바로 심판이 보기에 현저히 느리게 가위바위보를 낼 때. 누가봐도 이것은 져주기 위해 느리게 낸 것이다. 삼척동자가 보기에도 최부장님이 지려고 한 것이 티났다. 그러면 그 가위바위보는 무효에요.

유머도 그래요. 상대방이 무슨 말을 하든 그냥 다 웃어주면 안 되요. 그리고 정말 말도 안 되는 것들에서도 실실 웃으면서 헤벌레 입을 벌린다. 그것은 아니에요. 그렇게 하면 오히려 최부장님의 매력이 떨어져요. '이 사람은 더 이상 계약을 안 하겠다고 클레임을 걸어도 웃으면서 지나갈 사람인가?' 이런 식의 생각을 하게 만들면 안 된다는 것이에요. 호감을 줄 만큼 웃어야 하지만, 반감을 살 만큼 헤벌쭉하면 안 된다.

생각해보세요. 영화나 만화 같은데서도 보면, 주인공이 궁극기를 남발하지 않잖아요. 첫 만남부터 궁극기를 쓰고, 합을 주고 받는데도 궁극기를 쓰고, 마지막까지 쉴 없이 궁극기를 쓴다면, 이것은 사기잖아요. 그렇게 매순간마다 궁극기를 쓰면, 그것은 궁극기가 아니라 평타겠죠. 내지르기, 휘두르기, 돌려치기. 뭐 이런 평범한 타격기요.

이런 기술 인플레이션을 방지하기 위해서 최부장님이 해야 할 것은, 다시 기본으로 돌아오는 것이에요. 이제 다시 이 책의 첫 장으로 돌아가 보는 것을 추천드려요. 거기에 엄청난 기본기들이 숨겨져 있습니다.

"유머의 80%는 평범한 대화이다."

엄청난 비밀입니다. 유머러스한 사람들은 알지만, 유머러스하지 못한 사람은 모르는 공개된 비밀. 누구나 다 쉽게 생각하지만, 실제로는 잘하지 못하는 기술. 평범한 대화. 그것들을 갈고 닦아서 탄탄한 기본기를 만드셔야 해요. 그 기본기 사이에 제가 드린 15개의 무기, 그리고 궁극의 가위바위보를 내지르시는 것이죠. 장담드립니다. 최부장님은 바어이의 입가에 미소를 짓게 만들었습니다.

장.

가위 바위 보의
달인이 되는 방법

**'최부장님께 드리는 마지막 유머:
시간의 유머'**

마지막으로 제가 최부장님께 드리는 유머는 2가지입니다. 첫 번째 위로의 유머, 두 번째 시간의 유머예요. 위로의 유머는 최부장님이 지금 내명에서 겪고 있는 강력한 반발심을 줄여드릴 것이에요. 그리고 두 번째 시간의 유머는 최부장님에게 용기를 드릴 것이에요.

첫 번째, 위로의 유머입니다. 이 책을 다 읽고 나서도 최부장님의 입을 무겁게 만들고 행동을 느려지게 만드는 것이 있어요. 저는 그것이 무엇인지 아주 잘 알고 있죠. 그것은 바로 '망설임'입니다.

내가 지금 가지고 있는 이미지와 이 유머는 맞는 것인가? 내가 이렇게 행동을 하면 그 다음에 어떤 예상치 못한 봉변이 기다리고 있을까? 상대방이 나의 호의를 오해하면 어떻게 하지? 내 유머가 먹히지 않는다면?

이런 생각이 들었다면, 축하드려요. 정상입니다. 최소한 최부장님은 지금까지와 다른 무언가를 도전하려고 애를 쓰고 있다는 뜻이거든요. 상대방의 상황과 감정은 전혀 고려하지 않은 부장개그가 아니라 상대방을 위한다는 따뜻한 위로와 유머. 그것은 익숙했던 개그와는 완전히 다른 것이에요. 그러니까 망설이게 되는 것이죠.

최부장님이 이 책을 읽는다는 것은 스스로 보기에도 유머가 필요하다고 느낀다는 것이죠. 그리고 그 유머를 사용하는 것이 힘들다고 느낀다는 것이죠. 그래서 이 책을 통해 유머의 골결, 흐름을 잡았다고 해도 쉽게 행동으로 옮길 수 없다면, 그것은 최부장님이 올바른 길을 가고 있다는 신호에요.

첫 장에서도 말씀드렸지만, 어려우니까 하는 것이에요. 쉬우면 누구나 했죠. 쉬우니깐 안 했다고 하는 사람은 없잖아요. 어려우니까 못 했다고 하는 것이죠. 그런데 여기서 어려우니까 했다고 말할 수 있다면, 최부장님은 이미 유머의 달인이 되신 것이에요. 어려움에도 불구하고 상대방의 기분을 좋게 만들기 위해서 최부장님을 희생하신 것이잖아요. 정말 잘하고 계신 것입니다. 때문에 잊지 않으셨으면 좋겠어요. 내면에 힘듦이 있다는 것은 올바른 길을 걷고 있다는 증거라구요.

그리고 정말 마지막으로 드리는 '시간의 유머.' 이것은 최부장님이 꼭 마음에 새겨두어야 합니다. 선택이라는 것은 시간에 따라서 두 번의 변화를 거쳐요. 정확히 말하면 두 번의 퇴화에요. 유머를 선택하느냐 마느냐. 이것은 시간에 따라서 점차 변한다는 것이에요. 다음과 같이 변합니다.

첫 번째 시간. 유머를 할 수 있을 때에요. 유머를 할 수 있을 때, 부장님에게는 두 가지 선택권이 주어져요. 유머를 하느냐 마느냐. 여기서 만약혜 한다를 선택한다. 축하드립니다. 상대방의 기분을 좋게만들 기회를 잡으신 것이에요. 반대로 하지 않으셨다. 그러면 상대방의 기분을 좋게할 기회를 놓치신 것이에요. 그러면 이 선택이라는 것은 시간이 지만에 따라 변화가 됩니다.

두 번째 시간. 선택할 수 있을 때 선택하지 않으면, 선택 해야 할 때 선택하게 된다. 유머를 구사할 수 있을 때 구사하지 않으면, 유머를 구사해야 하는 때 구사하게 됩니다. 모든 것은 동일해요. 학창시절 시험공부할 때 그렇잖아요. 평소에 공부를 하지 않으면, 공부를 해야할 때 마지 못해서 공부를 해야해요. 시험 전날 미친 듯이 힘들게 시험 공부를 하는 것이죠. 짧고 굵게 힘들어서 좋다구요? 그것은 삶의 여유를 스스로 갉아 먹는 행위에요. 우리는 자기 합리화를 하잖아요. 다음 시험은 미리미리 준비해야겠다. 다음에는 내가 착실히 준비하겠다. 그리고 다시 똑 같은 실수를 반복하죠.

사람관계도 마찬가지에요. 제가 프로젝트 매니져를 할때 이야기를 들려드릴게요. 저 혼자만 프로젝트 매니져는 아니었거든요. 제가 다닌 홍콩계 기업에서 4명의 프로젝트 매니져가 있었어요. 그런데 한 명은 항상 여유 없이 일을 하더라구요. 물론 모든 프로젝트 매니져들이 여유가 넘치는 것은 아니지만, 유독 한 명은 더 벅차게 일을 했어요. 왜냐면 함께 일하던 직원이 수시로 일을 그만 두었기 때문이에요.

직원의 기분을 평소에 좋게 만들어주고, 평소에 돈독한 관계를 쌓았어야 했는데, 그 프로젝트 매니져는 그렇게 하지 않았어요. 꼭 직원이 사표를 들이밀 때, 그 직원에게 잘해주더라구요. 그리고 그 직원에게 저녁에 밥을 같이 먹자, 잠깐 차 한 잔 하자, 시간과 에너지를 쏟아부었어요. 그렇게 자신의 시간을 더 촉박하게 만들었죠. 업무하기에도 빠듯한 시간에 인사관리를 함께 해야 하니, 얼마나 시간이 부족했겠어요. 상대방의 기분을 미리미리 좋게 만들지 않으면, 상대방의 기분을 좋게 만들어야 할 때가 와요. 시간의 차이죠. 반드시 와요. 그런데 이보다 더 최악의 것이 있어요. 이때도 유머를 제대로 구사하지 못 하면, 시간은 더 흐르거든요.

마지막 세 번째 시간. 유머를 구사해야 할 때 구사하지 않으면, 구사하기 싫을 때 구사하게 된다. 선택이 마지막 단계로 썩어들어간 것이죠. 앞에서 말한 프로젝트 매니져가 고생고생해서 상대방에게 유머를 구사했는데, 그것이 먹혀들어가지 않았어요. 그때 그 직원이 이런 말을 하더라구요.

'이제와서?'

속 보인다. 자기가 급해지니까 이제야 남이 보이나 보다. 이런 말들을 하더라구요. 결국 그 직원은 일을 그만 뒀어요. 그 당시 프로젝트 매니져가 그 직원의 마음을 돌리지 못한 것이죠. 기분좋게 만드는 것을 실패해서 결국 직원은 일을 그만 뒀어요. 그러자 그 위의 디렉터가 그 매니져를 부르더라구요. 몇 명 째 직원이 일을 그만 두는 것인지, 매니져의 역량이 그 정도 밖에 안 되는 것인지, 엄청난 질타를 받았어요. 그것에 대한 변명으로 이제는 유머를 구사하고 싶지 않은 상황에서, 디렉터에게 유머를 구사해야 하는 상황까지 온 것이죠.

그리고 그렇게 또 상황을 모면하고 와서 아직 일을 그만두지 않은 직원들에게 공공연하게 말했어요. 잘해줘 봐야 소용 없다. 은혜도 모르고 직장을 그만 둔다. 요즘 것들은 왜 이렇게 이기적이냐. 내가 그렇게 잘해줘도 모자른 것이었냐. 사람들은 다 똑같다. 눈 앞에서 잘해줘도 결국 뒤통수 치는 것 아니냐.

마지막까지 유머에 실패했어요. 나머지 직원들은 어떤 입장일까요? 앞에서 말씀드렸지만, 그 팀원들은 '아직' 일을 그만두지 않은 직원들이었어요. 그들의 마음은 이미 완전히 돌아선 상태였죠. 그 매니져는 이 직원들의 미음을 기분 좋세 만드는 것에 완전히 실패했어요.

그런데 더 큰 문제는, 직원들의 마음만 그런 것이 아니에요. 그 매니져와 함께 업무교류를 해야 하는 다른 부서 팀장들, 그리고 그 매니져를 통해서 프로젝트를 진행하고 있는 바이어까지. 모두 냉랭했다는 것이죠. 문제가 하나 있는 사람은 없어요. 하나를 보면 열을 안다는 한국 속담이 있잖아요. 그 매니져는 항상 바쁘게 일했구요, 항상 시간에 쫓겼고, 항상 주변 사람들의 질타를 받았어요. 그리고 항상 혼자 마지막에 퇴근하고 혼자였죠.

다른 사람들의 기분을 좋게 만들지 못한 매니져가 가장 괴로워 했던 것. 그것은 자신의 기분도 좋게 만들지 못 했다는 것이에요. 아무리 열심히 해도 일이 줄어들지 않고, 생각지 못했던 문제들이 여기 저기서 터져 나왔죠. 그리고 그 문제들을 최선을 다해 해결할수록 사람들은 자기를 더 비난해요. 그렇게 스스로를 고립시키고 악순환은 반복이 되었어요. 왜 이렇게 그 매니져의 마음을 잘 아냐구요? 그러게요. 왜 이렇게 그 상황을 잘 알고 있을까요? 그것은 모르겠네요.

확실한 것은 선택이라는 것은 시간에 따라서 3 가지 모습을 가진다는 것이에요. 선택할 수 있을 때 선택해야 한다. 선택할 수 있을 때를 지나면, 선택해야 할 때 선택을 한다. 선택을 해야 할 때 선택하지 않으면, 선택하고 싶지 않을 때 선택해야 한다. 선택하고 싶지 않을 때 선택하지 않으면, 더 선택하고 싶지 않을 때 선택해야 한다.

유머가 딱 그래요. 유머라는 것을 너무 쉽게 생각하잖아요. 아니 굳이 내가 지금 고생해가면서 이런 선택을 해야해? 내가 여기서 상대방의 기분을 좋게 만들어야 해? 내가 굳이 타인의 감정을 신경써야해? 그렇게 선택을 미루면 미룰수록, 더 큰 압박감으로 다가오더라구요. 그리고 그렇게 선택을 보류하면 상대방도 알아요. 타인도 저한테 무관심해지고, 차가워져요. 제가 겪어보니까 그렇더라구요.

서문에서도 말씀드렸지만, 유머라는 것이 가장 필요한 사람. 그것은 바로 자기 자신이에요. 나 스스로의 기분을 좋게 만들어야 해요. 그러기 위해서 유머를 구사하는 것이에요. 그러기 위해서 타인에게 유머를 구사하는 것이에요.

간절히 바라는 마음이 있습니다. 비즈니스의 최전선에서 홀로 가시를 머금고 있는 최부장님. 최부장님에게 이 유머를 드립니다. 위로의 유머를 드립니다. 시간의 유머를 드립니다. 이 책을 읽으면서 한 번쯤은 웃으셨기를 바랍니다. 최부장님의 얼굴에 미소가 드리웠기를 바라봅니다. 그것이 바로, 바이어를 미소짓게 만드는 최부장님의 영어유머이기 때문입니다.